新HSK 한 권이면 끝 4급

新HSK 4급 개정 필수 VOCA

한선영 엮음

동양books

목차 Contents

Part 1

4급 듣기 영역
기출단어 미리 공부하기 · 6

Part 2

1~4급 개정 필수 VOCA
1200 정복하기 · 35

본 책의 듣기 영역 〈시크릿 기출 테스트〉에 나오는 단어들과 新HSK 1~4급 개정 필수단어 1200개를 정리하였습니다. 시크릿 기출 테스트를 풀기 전에, 단어를 먼저 공부하고 문제를 풀면 듣기 시험에 자신감이 붙습니다. 또한, 한자의 훈음이 표기된 단어장으로 1200개 단어를 모조리 정복할 수 있게 해드립니다.

듣기 부분은 다른 영역에 비해서 단어 실력이 매우 중요합니다. 듣기 지문이나 문제에서 모르는 단어가 나오면, 자기도 모르게 긴장하여 뒤에 나오는 문장까지 제대로 듣지 못하게 되기 때문입니다. 따라서 수업 시간에는 듣기 지문과 문제에 나오는 단어들을 먼저 학습한 후에 학생들에게 문제를 풀게 하는 것이 훨씬 효과적입니다. 하지만, 기존의 HSK 관련 책들은 듣기 부분의 새 단어를 해설 부분에만 실어놓아, 선생님들이 다시 워드 작업을 해서 학생들에게 나눠주고 단어를 외우게 해야 했습니다. 이 책에서는 선생님들과 학생들의 불편을 덜고 시간을 아껴주고자 듣기 영역 〈시크릿 기출 테스트〉에 나오는 단어들을 다시 한 번 정리하였습니다. 여기에 정리된 단어들은 시험에 자주 나오는 단어들이니, 꼭! 꼭! 암기하세요!

대학, 학원 교사 선생님! 이렇게 활용하세요

듣기 단어를 따로 정리할 필요 없이, 그날 풀어야 할 단어를 미리 학습시킬 수 있습니다. 단어량이 많으면 쉬운 단어는 넘어가고, 꼭 알아야 할 중점 단어만 수업하시면 됩니다.

독학 학습자님! 이렇게 공부하세요

무작정 듣기 문제를 풀면 어휘력이 부족해 좌절감을 맛보기 쉽습니다. 충분하게 단어를 학습하고 문제를 풀면, 정답률도 UP! 성적도 UP! 자신감도 UP! 됩니다.

Part 1

4급 듣기 영역 기출단어 미리 공부하기

1 DAY P22

1

专业 zhuānyè 몡 전공

★ 选择 xuǎnzé 동 고르다, 선택하다

★ 重要 zhòngyào 형 중요하다

甚至 shènzhì 접 ~까지도, ~조차도

★ 影响 yǐngxiǎng 동 영향을 끼치다

运气 yùnqi 몡 운, 운수

2

★ 容易 róngyì 형 ~하기 쉽다

感冒 gǎnmào 동 감기에 걸리다

冷 lěng 형 춥다

热 rè 형 덥다

提醒 tíxǐng 동 경고하다, 조심시키다

★ 注意 zhùyì 동 주의하다, 조심하다

清晨 qīngchén 몡 이른 아침

窗 chuāng 몡 창문

换气 huànqì 동 환기하다

及时 jíshí 부 즉시, 곧바로

3

记者 jìzhě 몡 기자

通知 tōngzhī 몡 통지

估计 gūjì 동 짐작하다, 예측하다

★ 抱歉 bàoqiàn 동 죄송합니다

联系 liánxì 동 연락하다

4

比赛 bǐsài 몡 경기, 시합

★ 考虑 kǎolǜ 동 생각하다, 고려하다

否则 fǒuzé 접 그렇지 않으면

压力 yālì 몡 스트레스

运动员 yùndòngyuán 몡 운동선수

★ 紧张 jǐnzhāng 형 긴장하다, 불안하다

★ 肯定 kěndìng 부 확실히, 틀림없이

失败 shībài 동 실패하다, 패배하다

5

太阳 tàiyáng 몡 태양

大自然 dàzìrán 몡 대자연

★ 影响 yǐngxiǎng 몡 영향

★ 实在 shízài 부 사실상, 정말

地球 dìqiú 몡 지구

提供 tígōng 동 제공하다

阳光 yángguāng 몡 햇빛

热量 rèliàng 몡 열량

★ 保证 bǎozhèng 동 보증하다

动物 dòngwù 몡 동물

植物 zhíwù 몡 식물

★ 情况 qíngkuàng 몡 상황

至少 zhìshǎo 부 적어도, 최소한	
改变 gǎibiàn 동 변하다, 바뀌다	

2 DAY　P22

1

打篮球 dǎ lánqiú 농구를 하다

身高 shēngāo 명 키

★ 著名 zhùmíng 형 유명하다

矮 ǎi 형 (키가) 작다

运动员 yùndòngyuán 명 운동선수

★ 曾经 céngjīng 부 일찍이, 이미

2

★ 需要 xūyào 동 필요하다, 요구되다

耐心 nàixīn 명 인내심

★ 聪明 cōngming 형 똑똑하다, 총명하다

动物 dòngwù 명 동물

完成 wánchéng 동 완수하다, 완성하다

任务 rènwu 명 임무

★ 马上 mǎshàng 부 바로, 금방

记 jì 동 기억하다

★ 熟悉 shúxī 동 분명하게 이해하다

命令 mìnglìng 명 명령

3

填 tián 동 기입하다

钥匙 yàoshi 명 열쇠

年龄 niánlíng 명 연령

★ 护照 hùzhào 명 여권

★ 然后 ránhòu 접 그 다음에

服务员 fúwùyuán 명 종업원, 안내원

行李箱 xínglǐxiāng 명 트렁크, 여행용 가방

4

直接 zhíjiē 형 직접적이다

★ 拒绝 jùjué 동 거절하다

★ 邀请 yāoqǐng 동 초대하다

舞会 wǔhuì 명 무도회

告诉 gàosu 동 말하다, 알리다

休息 xiūxi 동 휴식을 취하다, 쉬다

接受 jiēshòu 동 받아들이다, 수락하다

5

★ 批评 pīpíng 동 꾸짖다, 나무라다

认真 rènzhēn 형 착실하다, 진지하다

听讲 tīngjiǎng 동 수업을 듣다

讲 jiǎng 동 설명하다, 말하다

★ 礼貌 lǐmào 형 예의 바르다

3 DAY P26

1

★ 护照 hùzhào 명 여권

机场 jīchǎng 명 공항

发现 fāxiàn 동 발견하다, 알아차리다

信用卡 xìnyòngkǎ 명 신용카드

乘坐 chéngzuò 동 (자동차·비행기 등을) 타다

航班 hángbān 명 운항편

起飞 qǐfēi 동 이륙하다

★ 无奈 wúnài 동 부득이하다, 방법이 없다

改 gǎi 동 바꾸다, 변경하다

签 qiān 동 서명하다

2

★ 参加 cānjiā 동 참가하다, 참여하다

网球 wǎngqiú 명 테니스

比赛 bǐsài 명 경기

开玩笑 kāiwánxiào 동 농담하다

游泳 yóuyǒng 동 수영하다

周末 zhōumò 명 주말

3

海洋 hǎiyáng 명 바다

植物 zhíwù 명 식물

森林 sēnlín 명 숲, 산림

动物 dòngwù 명 동물

★ 组成 zǔchéng 동 구성하다

神奇 shénqí 형 신기하다

海底 hǎidǐ 명 해저

4

出差 chūchāi 동 출장 가다

机场 jīchǎng 명 공항

★ 马上 mǎshàng 부 곧, 바로

起飞 qǐfēi 동 이륙하다

5

面试 miànshì 동 면접시험 보다

★ 必须 bìxū 부 반드시

★ 准时 zhǔnshí 부 제때에

★ 参加 cānjiā 동 참가하다

服装 fúzhuāng 명 복장, 의상

正式 zhèngshì 형 정식의, 공식의

随意 suíyì 동 원하는 대로 하다, 뜻대로 하다

穿戴 chuāndài 명 옷차림, 차림새

整齐 zhěngqí 형 단정하다, 깔끔하다

表示 biǎoshì 동 나타내다, 표시하다

★ 尊重 zūnzhòng 동 존중하다

印象 yìnxiàng 명 인상

1

地铁 dìtiě 명 지하철

方向 fāngxiàng 명 방향

公共汽车 gōnggòng qìchē 명 버스

对面 duìmiàn 명 맞은편, 건너편

远 yuǎn 형 멀다

天桥 tiānqiáo 명 육교

过 guò 동 건너다

马路 mǎlù 명 대로, 도로

2

★ **仍然** réngrán 부 여전히, 아직도

报纸 bàozhǐ 명 신문

★ **选择** xuǎnzé 동 선택하다

新闻 xīnwén 명 뉴스

方便 fāngbiàn 형 편리하다

网站 wǎngzhàn 명 (인터넷) 웹 사이트

报道 bàodào 명 (뉴스 등의) 보도

快速 kuàisù 형 빠르다, 신속하다

★ **详细** xiángxì 형 상세하다, 자세하다

★ **丰富** fēngfù 형 풍부하다

3

房子 fángzi 명 집

工资 gōngzī 명 월급

银行 yínháng 명 은행

借 jiè 동 빌리다

虽然 suīrán 접 비록 ~하지만

钱数 qiánshù 명 액수, 금액

能 néng 조동 ~할 수 있다

还 huán 동 갚다

4

聊天儿 liáotiānr 동 한담하다, 잡담하다

★ **只好** zhǐhǎo 부 어쩔 수 없이, ~할 수밖에 없다

站 zhàn 동 서다 명 정거장

售票员 shòupiàoyuán 명 매표원

5

妻子 qīzi 명 아내

丈夫 zhàngfu 명 남편

★ **陪** péi 동 동반하다, 모시다

逛街 guàngjiē 동 쇼핑하다

老公 lǎogōng 명 신랑, 남편

记住 jìzhu 동 기억해두다

礼物 lǐwù 명 선물

5 DAY P 30

1

表格 biǎogé 명 표, 양식

填写 tiánxiě 동 써 넣다, 기입하다

稍 shāo 부 조금, 잠시

等 děng 동 기다리다

拿 ná 동 가지다

2

★ 表扬 biǎoyáng 동 칭찬하다

完成 wánchéng 동 완수하다, 끝내다

整年 zhěngnián 명 한 해, 일 년

★ 任务 rènwu 명 임무

★ 鼓掌 gǔzhǎng 동 손뼉을 치다, 박수를 보내다

祝贺 zhùhè 동 축하하다

3

留学 liúxué 동 유학하다

★ 调查 diàochá 동 조사하다

★ 超过 chāoguò 동 초과하다, 넘다

★ 大概 dàgài 부 대개, 대략

申请 shēnqǐng 동 신청하다

4

出汗 chūhàn 동 땀이 나다

★ 影响 yǐngxiǎng 동 영향을 끼치다

体温 tǐwēn 명 체온

适量 shìliàng 형 적당량이다

排 pái 동 내보내다, 배출하다

★ 帮助 bāngzhù 동 돕다

降低 jiàngdī 동 내리다, 낮추다

相反 xiāngfǎn 접 반대로, 오히려

寒冷 hánlěng 형 춥다

热量 rèliàng 명 열량

5

阳光 yángguāng 명 햇빛

万物 wànwù 명 만물

花园 huāyuán 명 화원, 정원

绿 lǜ 형 푸르다

天空 tiānkōng 명 하늘

蓝 lán 형 남색이다, 파랗다

6 DAY P 30

1

印象 yìnxiàng 명 인상

★ 忘记 wàngjì 동 잊어버리다

指 zhǐ 동 가리키다

深 shēn 혱 깊다

改变 gǎibiàn 동 변하다, 바뀌다

2

相信 xiāngxìn 동 믿다, 신뢰하다

★ 健康 jiànkāng 혱 건강하다

★ 美丽 měilì 혱 아름답다

过分 guòfèn 동 지나치다

在意 zàiyì 동 마음에 두다

胖瘦 pàngshòu 명 뚱뚱하고 마름, 살찐 정도

★ 漂亮 piàoliang 혱 예쁘다

帅 shuài 혱 잘생기다

信心 xìnxīn 명 믿음, 자신감

3

★ 经济 jīngjì 명 경제

★ 情况 qíngkuàng 명 상황, 사정

★ 严格 yángé 혱 엄격하다

管理 guǎnlǐ 동 관리하다

收入 shōurù 명 수입, 소득

★ 增加 zēngjiā 동 증가하다, 늘리다

4

给 gěi 동 ~에게 ~을 주다

演出 yǎnchū 명 공연

票 piào 명 표, 티켓

★ 加班 jiābān 동 야근하다, 특근하다

★ 邀请 yāoqǐng 동 초청하다, 초대하다

演员 yǎnyuán 명 배우, 연기자

★ 精彩 jīngcǎi 혱 훌륭하다, 뛰어나다

浪费 làngfèi 동 낭비하다

★ 可惜 kěxī 혱 아깝다

5

发 fā 동 보내다, 발송하다

短信 duǎnxìn 명 (휴대폰의) 문자 메시지

★ 麻烦 máfan 혱 귀찮다, 번거롭다

近来 jìnlái 명 요즘, 최근

★ 流行 liúxíng 동 유행하다

幽默 yōumò 혱 유머러스하다

★ 快乐 kuàilè 혱 즐겁다, 유쾌하다

想必 xiǎngbì 뷔 반드시, 틀림없이

7 DAY   P35

1

能力 nénglì 명 능력

责任心 zérènxīn 명 책임감

★ 复杂 fùzá 혱 복잡하다

★ 简单 jiǎndān 혱 단순하다, 간단하다

区别 qūbié 명 차이, 구별

2

想 xiǎng 조동 ~하고 싶다

蛋糕 dàngāo 명 케이크

已经 yǐjing 부 이미, 벌써

卖 mài 동 팔다

完 wán 형 다하다, 떨어지다

可以 kěyǐ 조동 ~할 수 있다

★ 试 shì 동 시험 삼아 해보다

饼干 bǐnggān 명 비스킷, 쿠키

味道 wèidao 명 맛

3

★ 调查 diàochá 동 조사하다

★ 结果 jiéguǒ 명 결과

计划 jìhuà 명 계획, 방안

市场 shìchǎng 명 시장

★ 按 àn 전 ~에 따라서

4

职业 zhíyè 명 직업

演员 yǎnyuán 명 배우, 연기자

★ 性格 xìnggé 명 성격

理想 lǐxiǎng 명 이상, 꿈

5

★ 愿意 yuànyì 동 바라다, 희망하다

农村 nóngcūn 명 농촌

毕业 bìyè 동 졸업하다

★ 选择 xuǎnzé 동 선택하다

发展 fāzhǎn 동 발전하다

8 DAY　P35

1

★ 习惯 xíguàn 명 습관이 되다, 익숙해지다

亚洲 Yàzhōu 명 아시아

饮食 yǐnshí 명 음식

处事 chǔshì 동 일을 처리하다

★ 无法 wúfǎ 동 할 수 없다

接受 jiēshòu 동 받아들이다

2

会议室 huìyìshì 명 회의실

★ 不必 búbì 부 ~할 필요 없다

电梯 diàntī 명 엘리베이터

左边 zuǒbian 명 왼쪽

3

高速公路 gāosù gōnglù 명 고속도로

★ 要是 yàoshi 젭 만약 ~이라면

4

女儿 nǚ'ér 명 딸

★ 同意 tóngyì 동 동의하다, 찬성하다

打针 dǎzhēn 동 주사를 맞다, 주사를 놓다

发烧 fāshāo 동 열이 나다

大夫 dàifu 명 의사

★ 害怕 hàipà 동 겁내다, 두려워하다

哭 kū 동 울다

5

★ 希望 xīwàng 동 희망하다, 바라다

政府 zhèngfǔ 명 정부

★ 负责 fùzé 동 책임지다

药品 yàopǐn 명 약품

管理 guǎnlǐ 동 관리하다

费用 fèiyòng 명 비용

收取 shōuqǔ 동 수납하다, 수취하다

接 jiē 동 마중하다

★ 辛苦 xīnkǔ 형 수고롭다

2

★ 讨论 tǎolùn 동 토론하다

★ 结果 jiéguǒ 명 결과

★ 同意 tóngyì 동 동의하다

招聘会 zhāopìnhuì 명 채용 박람회

推迟 tuīchí 동 연기하다

3

★ 导游 dǎoyóu 명 가이드

故宫 gùgōng 명 고궁

★ 本来 běnlái 부 원래, 본래

4

孩子 háizi 명 아이, 아동

儿童 értóng 명 아동, 어린이

半价 bànjià 명 반값

9 DAY P43

1

教授 jiàoshòu 명 교수

★ 火车站 huǒchēzhàn 명 기차역

10 DAY P43

1

研究生 yánjiūshēng 명 대학원생

数学 shùxué 명 수학

砸 zá 동 실패하다, 망치다

★ 努力 nǔlì 동 노력하다

成绩 chéngjì 명 성적

2

暑假 shǔjià 명 여름방학

寒假 hánjià 명 겨울방학

教授 jiàoshòu 명 교수

看着办 kànzhebàn 알아서 처리하다

★ 肯定 kěndìng 부 확실히, 틀림없이

★ 提前 tíqián 동 앞당기다

3

前台 qiántái 명 프런트

楼下 lóuxià 명 아래층

早饭 zǎofàn 명 아침 식사

提供 tígōng 동 제공하다

明白 míngbai 동 알다, 이해하다

4

图书馆 túshūguǎn 명 도서관

招 zhāo 동 모집하다

★ 适合 shìhé 동 적합하다, 적절하다

工资 gōngzī 명 월급

简历 jiǎnlì 명 이력서

11 DAY   P48

1

不满 bùmǎn 형 불만이다

激动 jīdòng 동 흥분하다, 감격하다

奇怪 qíguài 형 이상하다, 의아하다

敲门 qiāomén 동 노크하다

戴 dài 동 착용하다, 쓰다

耳机 ěrjī 명 이어폰

2

难过 nánguò 형 괴롭다, 슬프다

着急 zháojí 동 조급해하다, 초조해하다

技术 jìshù 명 기술

★ 问题 wèntí 명 문제

★ 解决 jiějué 동 해결하다

★ 得到 dédào 동 얻다, ~하게 되다

情况 qíngkuàng 명 상황, 사정

★ 糟糕 zāogāo 형 엉망이다

3

称赞 chēngzàn 동 칭찬하다

后悔 hòuhuǐ 동 후회하다

风景 fēngjǐng 명 풍경

优美 yōuměi 형 우아하고 아름답다

照相机 zhàoxiàngjī 명 사진기, 카메라

4

★ 安慰 ānwèi 동 위로하다

批评 pīpíng 동 꾸짖다, 비판하다

病情 bìngqíng 명 병세

大夫 dàifu 명 의사

12 DAY P48

1

★ 羡慕 xiànmù 동 부러워하다

兴奋 xīngfèn 형 흥분하다

寒假 hánjià 명 겨울방학

打算 dǎsuan 동 ~할 계획이다

新加坡 Xīnjiāpō 명 싱가포르

暖和 nuǎnhuo 형 따뜻하다

直接 zhíjiē 형 직접적인

2

无奈 wúnài 동 어찌할 도리가 없다, 부득
이하다

垃圾 lājī 명 쓰레기

到处 dàochù 명 곳곳, 도처

乱 luàn 부 함부로, 제멋대로

扔 rēng 동 던지다, 내버리다

整理 zhěnglǐ 동 정리하다

3

怀疑 huáiyí 동 의심하다

★ 到底 dàodǐ 부 도대체

★ 肯定 kěndìng 부 확실히, 틀림없이

估计 gūjì 동 추측하다, 어림잡다

★ 来不及 láibují 동 (시간이 부족하여)
~하지 못하다

表演 biǎoyǎn 명 공연

4

紧张 jǐnzhāng 형 불안하다, 긴장해 있다

舒服 shūfu 형 편안하다

轻松 qīngsōng 형 홀가분하다, 가뿐하다

钥匙 yàoshi 명 열쇠

★ 仔细 zǐxì 형 세심하다, 꼼꼼하다

13 DAY P54

1

★ 导游 dǎoyóu 명 안내원, 가이드

★ 印象 yìnxiàng 명 인상

愉快 yúkuài 형 기쁘다, 즐겁다

服务 fúwù 동 서비스하다

态度 tàidu 명 태도

★ 确实 quèshí 부 정말로, 확실히

2

钢琴 gāngqín 몡 피아노

弹 tán 튐 (악기를) 연주하다

专门 zhuānmén 튐 전문적으로

教 jiāo 튐 가르치다

儿童 értóng 몡 아동, 어린이

3

亲戚 qīnqi 몡 친척

★ 安排 ānpái 튐 (시간 등을) 안배하다

游泳 yóuyǒng 튐 수영하다

过 guò 튐 지내다, 보내다

生日 shēngrì 몡 생일

帮忙 bāngmáng 튐 거들다, 일손을 돕다

4

同事 tóngshì 몡 동료

夫妻 fūqī 몡 부부

让 ràng 튐 ～하게 하다

老太太 lǎotàitai 몡 어머니

孙女 sūnnǚ 몡 손녀

接 jiē 튐 받다, 마중하다

★ 顺便 shùnbiàn 튐 ～하는 김에

14 DAY　P54

1

服务员 fúwùyuán 몡 (서비스 분야의) 종업원

售货员 shòuhuòyuán 몡 점원, 판매원

房卡 fángkǎ 몡 (방의) 카드키

行李箱 xínglǐxiāng 몡 여행용 가방

直接 zhíjiē 혱 직접적인

麻烦 máfan 혱 귀찮다, 번거롭다

2

歌手 gēshǒu 몡 가수

舞蹈 wǔdǎo 몡 춤, 무용

估计 gūjì 튐 추측하다

演出 yǎnchū 몡 공연

★ 减肥 jiǎnféi 튐 살을 빼다

保证 bǎozhèng 튐 보증하다, 책임지다

★ 坚持 jiānchí 튐 지키다, 유지하다

★ 关键 guānjiàn 몡 관건

3

同学 tóngxué 몡 동창, 학우

★ 认识 rènshi 튐 알다

★ 好像 hǎoxiàng 튐 마치 ～와 같다

毕业 bìyè 몡 졸업

照 zhào 몡 사진

4

同事 tóngshì 몡 동료

发 fā 통 보내다

笑话 xiàohua 몡 우스운 이야기

好笑 hǎoxiào 혱 우습다

办公室 bàngōngshì 몡 사무실

15 DAY　P60

1

医院 yīyuàn 몡 병원

公园 gōngyuán 몡 공원

大夫 dàifu 몡 의사

最近 zuìjìn 몡 요즘

★ 厉害 lìhai 혱 심각하다

2

饭店 fàndiàn 몡 호텔

机场 jīchǎng 몡 공항

★ 办公室 bàngōngshì 몡 사무실

环境 huánjìng 몡 환경

★ 满意 mǎnyì 통 만족하다

带 dài 통 이끌다, 통솔하다

地方 dìfang 몡 장소

3

食堂 shítáng 몡 구내식당

宾馆 bīnguǎn 몡 호텔

双 shuāng 혱 두 개의, 그의

间 jiān 몡 방, 실

一天 yìtiān 몡 하루

标准间 biāozhǔnjiān 몡 일반실

★ 打折 dǎzhé 통 할인하다

4

银行 yínháng 몡 은행

火车 huǒchē 몡 기차

站 zhàn 몡 역, 정류장

电影院 diànyǐngyuàn 몡 영화관

前边 qiánbian 몡 앞

窗口 chuāngkǒu 몡 창구

排队 páiduì 통 줄을 서다

16 DAY　P60

1

公共汽车 gōnggòng qìchē 몡 버스

禁止 jìnzhǐ 통 금지하다

吸烟　xīyān　통　흡연하다

抽烟　chōuyān　통　담배를 피우다

转　zhuǎn　통　(방향 등을) 바꾸다, 전환하다

2

坏　huài　통　고장 나다

正好　zhènghǎo　부　마침, 공교롭게도

★打折　dǎzhé　통　할인하다

★顺便　shùnbiàn　부　~하는 김에

信用卡　xìnyòngkǎ　명　신용카드

3

商店　shāngdiàn　명　상점

蛋糕　dàngāo　명　케이크

饿　è　형　배고프다

巧克力　qiǎokèlì　명　초콜릿

剩下　shèngxià　통　남기다

打包　dǎbāo　통　포장하다, 싸 가다

浪费　làngfèi　통　낭비하다

4

停车场　tíngchēchǎng　명　주차장

收费　shōufèi　통　비용을 받다

专门　zhuānmén　부　전문적으로

地下　dìxià　명　지하, 땅밑

拐　guǎi　통　꺾어 돌다

---

17 DAY　P66

1

★旅游　lǚyóu　통　여행하다

黑　hēi　형　어둡다

行李箱　xínglǐxiāng　명　여행가방

2

活动　huódòng　명　활동, 행사

计划　jìhuà　명　계획

想法　xiǎngfa　명　생각, 의견

★安排　ānpái　통　안배하다, 준비하다

交给　jiāogěi　통　~에게 맡기다

★负责　fùzé　통　책임지다

★放心　fàngxīn　통　안심하다

3

散步　sànbù　통　산책하다

洗澡　xǐzǎo　통　샤워하다

打扫　dǎsǎo　통　청소하다

厨房　chúfáng　명　주방

活动　huódòng　통　(몸을) 움직이다

吃饱　chībǎo　배불리 먹다

懒　lǎn　형　게으르다, 나태하다

4

拍 pāi 통 (사진을) 찍다

照片 zhàopiàn 명 사진

下雪 xiàxuě 통 눈이 내리다

★ 紧张 jǐnzhāng 형 급박하다, 긴박하다

堵车 dǔchē 통 교통이 꽉 막히다

迟到 chídào 통 지각하다

还是 háishi 부 ~하는 편이 좋다

18 DAY　P66

1

出差 chūchāi 통 출장 가다

留学 liúxué 통 유학하다

忙 máng 통 ~를 준비하다, 서두르다

签证 qiānzhèng 명 비자

★ 准备 zhǔnbèi 통 준비하다

生意 shēngyi 명 사업

★ 突然 tūrán 부 갑자기

★ 误会 wùhuì 통 오해하다

★ 旅游 lǚyóu 통 여행하다

2

★ 安静 ānjìng 형 조용하다

总结 zǒngjié 명 총결산

琢磨 zuómo 통 깊이 생각하다, 궁리하다

3

拿 ná 통 (손으로) 잡다, (손에) 쥐다

垃圾 lājī 명 쓰레기

塑料袋 sùliàodài 명 비닐봉지

记性 jìxing 명 기억력

差 chà 형 나쁘다, 좋지 않다

忘 wàng 통 잊다

下楼 xiàlóu 통 내려가다

4

纸 zhǐ 명 종이

允许 yǔnxǔ 통 허락하다

黑板 hēibǎn 명 칠판

数学 shùxué 명 수학

考试 kǎoshì 명 시험

答题 dátí 통 문제를 풀다

★ 清楚 qīngchu 형 뚜렷하다, 명백하다

19 DAY　P70

1

运气 yùnqi 명 운, 운수

奖金 jiǎngjīn 명 보너스, 상여금

发 fā 통 건네주다, 교부하다

2

★ **随便** suíbiàn 톙 제멋대로다 ᆸ 아무렇게
나, 마음대로

★ **主要** zhǔyào 톙 주요한, 주된

味道 wèidao 똉 맛

价格 jiàgé 똉 가격

3

迟到 chídào 똉 지각하다

到达 dàodá 똉 도착하다, 도달하다

会议 huìyì 똉 회의

★ **千万** qiānwàn ᆸ 절대로, 반드시

★ **操心** cāoxīn 똉 걱정하다

★ **准时** zhǔnshí ᆸ 제때에, 정시에

4

诚实 chéngshí 톙 성실하다

★ **粗心** cūxīn 톙 세심하지 못하다

★ **马虎** mǎhu 톙 조심성이 없다, 세심하지
못하다

吃苦 chīkǔ 똉 고생하다

印象 yìnxiàng 똉 인상

★ **如何** rúhé 때 어떠한가

优点 yōudiǎn 똉 장점

礼貌 lǐmào 톙 예의 바르다

就是 jiùshì ᆸ 다만 ～뿐이다

★ **适合** shìhé 똉 적합하다, 부합하다

20 DAY P70

1

凑合 còuhe 똉 아쉬운 대로 하다, 그런대
로 하다

球鞋 qiúxié 똉 운동화

网球 wǎngqiú 똉 테니스

★ **厉害** lìhai 톙 대단하다, 굉장하다

敢 gǎn 조똉 감히 ～하다

★ **究竟** jiūjìng ᆸ 도대체

赢 yíng 똉 이기다

热闹 rènao 톙 시끌벅적하다

2

★ **注意** zhùyì 똉 주의하다

复习 fùxí 똉 복습하다

厚 hòu 톙 두껍다

信心 xìnxīn 똉 자신감

技巧 jìqiǎo 똉 기교, 테크닉

内容 nèiróng 똉 내용

只好 zhǐhǎo ᆸ 부득이, 할 수 없이

语法 yǔfǎ 똉 어법

3

★ **严重** yánzhòng 형 심각하다, 중대하다

害怕 hàipà 동 두려워하다, 무서워하다

打针 dǎzhēn 동 주사를 맞다, 주사를 놓다

药 yào 명 약

感冒 gǎnmào 명 감기

★ **关键** guānjiàn 명 관건, 키포인트

实话 shíhuà 명 솔직한 말

★ **其实** qíshí 부 사실

4

撞 zhuàng 동 부딪치다

受伤 shòushāng 동 상처를 입다, 부상을 당하다

堵车 dǔchē 명 교통 체증

★ **难道** nándào 부 설마 ~인가

修 xiū 동 수리하다

★ **严重** yánzhòng 형 심각하다

擦 cā 동 마찰하다, 긁다

★ **恐怕** kǒngpà 부 아마 ~일 것이다

21 DAY P75

1

接 jiē 동 맞이하다, 마중하다

请假 qǐngjià 동 휴가를 신청하다

行李 xíngli 명 짐

2

★ **负责** fùzé 형 책임감이 있다

专业 zhuānyè 명 전공

认真 rènzhēn 형 착실하다, 성실하다

★ **合适** héshì 형 적합하다, 알맞다

3

成熟 chéngshú 형 성숙하다

幽默 yōumò 형 유머러스하다

体贴 tǐtiē 동 자상하게 돌보다

★ **别提** biétí 말도 마라

无聊 wúliáo 형 지루하다

4

舒服 shūfu 형 편하다, 안락하다

逛街 guàngjiē 동 쇼핑하다

速度 sùdù 명 속도

商店 shāngdiàn 명 상점

辛苦 xīnkǔ 형 고되다, 힘들다

22 DAY P75

1

穷 qióng 형 가난하다

个子 gèzi 명 키

矮 ǎi 형 키가 작다

对象 duìxiàng 명 애인, 결혼 상대

结婚 jiéhūn 동 결혼하다

合适 héshì 형 적합하다, 어울리다

挺 tǐng 부 매우

套 tào 양 집, 가구 등 세트를 세는 양사

愿意 yuànyì 동 원하다

2

源头 yuántóu 명 발원지, 근원

长度 chángdù 명 길이

流经 liújīng 동 (고정된 경로를) 지나다

地图 dìtú 명 지도

经过 jīngguò 동 지나다, 통과하다

上网 shàngwǎng 동 인터넷을 하다

查 chá 동 조사하다

3

★ 减肥 jiǎnféi 동 살을 빼다

停电 tíngdiàn 동 정전되다

电梯 diàntī 명 엘리베이터

爬 pá 동 오르다

★ 没劲儿 méijìnr 동 힘이 없다

★ 坚持 jiānchí 동 지키다, 견지하다

4

轻松 qīngsōng 형 수월하다

希望 xīwàng 명 희망

顺利 shùnlì 형 순조롭다

面试 miànshì 명 면접시험

★ 紧张 jǐnzhāng 형 긴장하다, 불안하다

结果 jiéguǒ 명 결과

通知 tōngzhī 동 통지하다, 알리다

23 DAY P82

1-2

哭 kū 동 울다

丢 diū 동 잃어버리다

★ 难过 nánguò 형 괴롭다, 슬프다

★ 奇怪 qíguài 형 이상하다, 의아하다

刚才 gāngcái 명 방금

回答 huídá 동 대답하다

1

找 zhǎo 동 찾다

被 bèi 전 ~에 의해

爷爷 yéye 명 할아버지

批评 pīpíng 동 꾸짖다, 질책하다

别人 biéren 대 다른 사람

3-4

往 wǎng 전 ~ 쪽으로, ~을 향해

★ 坚持 jiānchí 동 고수하다, 고집하다

吵 chǎo 동 말다툼하다

3

感情 gǎnqíng 명 감정

和平 hépíng 명 평화

花钱 huāqián 동 (돈을) 쓰다, 소비하다

方向 fāngxiàng 명 방향

俩 liǎ 수 두 개, 두 사람

吵架 chǎojià 동 다투다

4

该 gāi 조동 마땅히 ~해야 한다

不要 búyào 부 ~하지 마라

重要 zhòngyào 형 중요하다

过路人 guòlùrén 명 행인

24 DAY P82

1-2

穿着 chuānzhuó 명 옷차림

讲究 jiǎngjiu 동 ~에 신경 쓰다, 중요시하다

★ 随便 suíbiàn 형 제멋대로다, 함부로 하다

★ 仍然 réngrán 부 여전히, 아직도

随意 suíyì 동 뜻대로 하다, 마음대로 하다

★ 提醒 tíxǐng 동 일깨우다, 경고하다

即使 jíshǐ 접 설령 ~하더라도

认识 rènshi 동 알다, 인식하다

1

骄傲 jiāo'ào 형 거만하다

大衣 dàyī 명 외투

出名 chūmíng 형 유명하다

过去 guòqù 명 과거

2

穷 qióng 형 가난하다

打扮 dǎban 명 치장, 단장

成 chéng 동 (~으로) 되다, 변하다

名人 míngrén 명 유명 인사

3-4

弱智 ruòzhì 형 지능이 떨어지다

★ 跟不上 gēnbushàng 동 따라갈 수 없다

脑子 nǎozi 명 머리, 두뇌

★ 教育 jiàoyù 동 교육하다

结果 jiéguǒ 명 결과

人类 rénlèi 명 인류

伟大 wěidà 형 위대하다

发明家 fāmíngjiā 명 발명가

3

听话 tīnghuà 동 말을 잘 듣다

★ 聪明 cōngming 형 똑똑하다

4

能力 nénglì 명 능력

热爱 rè'ài 동 열렬히 사랑하다

科学 kēxué 명 과학

25 DAY P86

1-2

因材施教 yīncáishījiào 성어 대상에 따라 그에 맞는 교육을 하다

★ 教育 jiàoyù 동 교육하다

★ 性格 xìnggé 명 성격

外向 wàixiàng 형 외향적이다

★ 适当 shìdàng 형 적절하다, 적당하다

限制 xiànzhì 동 제한하다, 규제하다

害羞 hàixiū 동 수줍어하다

鼓励 gǔlì 동 격려하다

★ 表扬 biǎoyáng 동 칭찬하다

1

材料 cáiliào 명 자질, 소질(비유적 의미를 나타냄)

才能 cáinéng 명 재능

健康 jiànkāng 명 건강

2

看法 kànfǎ 명 견해, 의견

怎样 zěnyàng 대 어떻게

3-4

阳光 yángguāng 명 햇빛

心情 xīnqíng 명 감정, 기분

★ 糟糕 zāogāo 형 망치다, 엉망이 되다

相反 xiāngfǎn 접 반대로, 오히려

3

雨水 yǔshuǐ 명 빗물

友谊 yǒuyì 명 우정

事情 shìqing 명 일, 사건

4

雨季 yǔjì 명 우기

社会 shèhuì 명 사회

发展 fāzhǎn 명 발전

影响 yǐngxiǎng 동 영향을 주다

26 DAY P86

1-2

饺子 jiǎozi 명 만두

味道 wèidao 명 맛

鲜美 xiānměi 형 맛이 좋다

★ 忙碌 mánglù 형 바쁘다

交流 jiāoliú 동 소통하다, 교류하다

机会 jīhuì 명 기회

寒冷 hánlěng 형 한랭하다, 춥다

炒菜 chǎocài 명 볶음 요리

★ 感觉 gǎnjué 동 느끼다

1

互相 hùxiāng 부 서로, 상호

过年 guònián 동 설을 쇠다, 새해를 맞다

2

热 rè 형 덥다

★ 舒服 shūfu 형 편안하다

暖和 nuǎnhuo 형 따뜻하다

3-4

幽默 yōumò 형 유머러스하다

★ 具有 jùyǒu 동 갖추다, 구비하다

★ 任何 rènhé 대 어떠한, 무슨

★ 发现 fāxiàn 동 발견하다

无聊 wúliáo 형 지루하다, 따분하다

变 biàn 동 (성질, 상태를) 바꾸다

★ 甚至 shènzhì 부 심지어, ~까지도

愉快 yúkuài 형 유쾌하다, 즐겁다

人气 rénqì 명 인기

3

到处 dàochù 명 도처, 가는 곳

讨厌 tǎoyàn 동 싫어하다

笑话 xiàohua 명 우스갯소리

4

发笑 fāxiào 동 웃(기)다

礼貌 lǐmào 명 예의

尊重 zūnzhòng 동 존중하다

别人 biéren 대 다른 사람

做事 zuòshì 〔동〕 일을 하다	**减少** jiǎnshǎo 〔동〕 감소하다, 줄이다
耐心 nàixīn 〔명〕 참을성, 인내심	**误会** wùhuì 〔명〕 오해
欢迎 huānyíng 〔동〕 환영하다	**礼貌** lǐmào 〔형〕 예의 바르다

27 DAY P90

1-2

结婚 jiéhūn 〔동〕 결혼하다

通常 tōngcháng 〔형〕 일반적이다

爱情 àiqíng 〔명〕 사랑

★ **确实** quèshí 〔부〕 확실히, 틀림없이

原因 yuányīn 〔명〕 원인

不够 búgòu 〔형〕 부족하다, 모자라다

互相 hùxiāng 〔부〕 서로

支持 zhīchí 〔동〕 지지하다

★ **信任** xìnrèn 〔동〕 신뢰하다

★ **幸福** xìngfú 〔형〕 행복하다

1

金钱 jīnqián 〔명〕 돈, 금전

条件 tiáojiàn 〔명〕 조건

★ **环境** huánjìng 〔명〕 환경

2

吵架 chǎojià 〔동〕 말다툼하다

3-4

★ **想法** xiǎngfa 〔명〕 생각, 견해

酒 jiǔ 〔명〕 술

辣 là 〔형〕 맵다, 독하다

香 xiāng 〔형〕 향기롭다

巧克力 qiǎokèlì 〔명〕 초콜릿

甜 tián 〔형〕 달다

苦 kǔ 〔형〕 쓰다

面包 miànbāo 〔명〕 빵

中间 zhōngjiān 〔명〕 속, 가운데

★ **然而** rán'ér 〔접〕 그러나

尝 cháng 〔동〕 맛보다

★ **究竟** jiūjìng 〔부〕 도대체

答案 dá'àn 〔명〕 답

4

谁 shéi 〔대〕 아무, 누구(불특정한 사람을 나타냄)

28 DAY P90

1-2

羡慕 xiànmù 동 부러워하다, 선망하다

复杂 fùzá 형 복잡하다

经历 jīnglì 동 경험하다

酸甜苦辣 suāntiánkǔlà 성어 세상의 온
갖 고초

★ 其实 qíshí 부 사실

★ 值得 zhíde 동 ~할 만한 가치가 있다

珍惜 zhēnxī 동 소중히 여기다

实际 shíjì 형 현실적이다

简单 jiǎndān 형 단순하다, 평범하다

1

浪漫 làngmàn 형 낭만적이다

甜蜜 tiánmì 형 달콤하다, 행복하다

有趣 yǒuqù 형 재미있다, 흥미있다

丰富 fēngfù 형 풍부하다

2

诚实 chéngshí 형 성실하다, 참되다

正直 zhèngzhí 형 정직하다

3-4

无处 wúchù 동 ~한 곳이 없다

即使 jíshǐ 접 설령 ~할지라도

★ 理解 lǐjiě 동 이해하다

★ 依旧 yījiù 부 여전히

小鸟 xiǎoniǎo 명 작은 새

尽管 jǐnguǎn 접 비록 ~라 하더라도

完全 wánquán 부 완전히, 전혀

…来…去 …lái…qù 명 이리저리 ~해봐도,
아무리 ~해도

★ 仍然 réngrán 부 여전히, 아직도

3

爱 ài 동 애호하다, 좋아하다

唱歌 chànggē 동 노래 부르다

4

一直 yìzhí 부 줄곧, 계속

容易 róngyì 형 쉽다

29 DAY P94

1-2

地铁 dìtiě 명 지하철

交通 jiāotōng 명 교통

工具 gōngjù 명 수단, 방법

广播 guǎngbō 명 방송

乘客 chéngkè 명 승객

★ 提前 tíqián 동 앞당기다

准备 zhǔnbèi 동 준비하다

★ 按照 ànzhào 전 ~에 의해, ~에 따라

★ 提醒 tíxǐng 동 상기시키다

既…也… jì…yě… ~할 뿐 아니라 ~하다

方便 fāngbiàn 형 편리하다

他人 tārén 명 타인, 다른 사람

1

主动 zhǔdòng 형 주동적이다, 자발적이다

注意 zhùyì 동 주의하다, 조심하다

安全 ānquán 형 안전하다

禁止 jìnzhǐ 동 금지하다

抽烟 chōuyān 동 담배를 피우다

2

船 chuán 명 배

飞机 fēijī 명 비행기

出租车 chūzūchē 명 택시

3-4

★ 准时 zhǔnshí 부 제때에

节目 jiémù 명 프로그램

介绍 jièshào 동 소개하다

虎 hǔ 명 호랑이

★ 著名 zhùmíng 형 저명하다

教授 jiàoshòu 명 교수

3

星期三 xīngqīsān 명 수요일

星期四 xīngqīsì 명 목요일

星期五 xīngqīwǔ 명 금요일

星期六 xīngqīliù 명 토요일

4

亚洲 Yàzhōu 명 아시아

地球 dìqiú 명 지구

老虎 lǎohǔ 명 호랑이

植物 zhíwù 명 식물

30 DAY P94

1-2

★ 终于 zhōngyú 부 마침내

任务 rènwu 명 임무

★ 马上 mǎshàng 부 곧, 바로

代表 dàibiǎo 동 대표하다

祝贺 zhùhè 동 축하하다

取得 qǔdé 동 얻다, 획득하다

成绩 chéngjì 명 성적, 성과

1

导游 dǎoyóu 몡 가이드

记者 jìzhě 몡 기자

校长 xiàozhǎng 몡 학교장, 총장

领导 lǐngdǎo 몡 지도자, 책임자

2

访问 fǎngwèn 통 방문하다

开学 kāixué 통 개학하다

毕业 bìyè 통 졸업하다

典礼 diǎnlǐ 몡 의식

3-4

装修 zhuāngxiū 몡 인테리어

空调 kōngtiáo 몡 에어컨

冰箱 bīngxiāng 몡 냉장고

离 lí 전 ~에서, ~로부터

★ **便利** biànlì 형 편리하다

★ **甚至** shènzhì 뷔 심지어, ~까지도

锻炼 duànliàn 통 (체력을) 단련하다

★ **值得** zhíde 통 ~할 만한 가치가 있다

★ **考虑** kǎolǜ 통 고려하다

3

买 mǎi 통 사다

租 zū 통 빌리다

卖 mài 통 팔다

4

家电 jiādiàn 몡 가전제품

交通 jiāotōng 몡 교통

房价 fángjià 몡 집값

公司 gōngsī 몡 회사

新HSK 개정 필수단어 1200자를 한 자 한 자 확실하게 읽고 쓸 수 있으면 더할 나위 없이 좋겠지만, 꼭 그렇지 않아도 괜찮습니다. 먼저 그날의 목표 단어를 가볍게 한번 쭉 읽어보세요. 다른 단어장에서는 볼 수 없는 한자 훈음이 표기되어 있어, 단어의 뜻을 유추하는 데 많은 도움을 줍니다. 훈음을 미리 읽어보면, '아~ 한자에 이런 뜻이 있어서 중국어 뜻이 이런 거구나~!'라고 이해되어 애써 외우지 않아도 단어 뜻이 머릿속에 쏙쏙 박힌답니다. 많은 단어를 한번에 완벽하게 암기하기는 힘드니, 3일에 걸쳐 반복 학습을 권장합니다.

한샘의 단어 암기 성공 비결 !!!

❶ 단어 암기에 부담감을 갖지 말 것!
그냥 눈으로만 읽어도 반은 성공!

❷ 자신과의 약속을 지키기 위해 귀찮아도 매일매일 외울 것!
작심삼일도 3일에 한 번씩 열 번만 하면, 1200개 단어 암기 30일 전략 성공!

❸ 중국어 보고 뜻 떠오르면 50% 성공!
→ 발음까지 말할 수 있으면 80% 성공!
→ 쓸 수 있으면 100% 성공!

*단어장을 반으로 접어서 뜻만 보고 중국어 발음을 떠올려보는 연습을 해보세요.

Part 2

1~4급 개정 필수 VOCA 1200 정복하기

단어 암기 스케줄 짜기

*30일 전략 스케줄표 예시

1 day	1~40				
2 day	1~40	41~80			
3 day	1~40	41~80	81~120		
4 day		41~80	81~120	121~160	
5 day			81~120	121~160	161~200
6 day	201~240			121~160	161~200
7 day	201~240	241~280			161~200
8 day	201~240	241~280	281~320		
9 day		241~280	281~320	321~360	
10 day			281~320	321~360	361~400
11 day	401~440			321~360	361~400
12 day	401~440	441~480			361~400
13 day	401~440	441~480	481~520		
14 day		441~480	481~520	521~560	
15 day			481~520	521~560	561~600

12일 전략	15일 전략	30일 전략	40일 전략
하루에 100개씩 암기	**하루에 80개씩 암기**	**하루에 40개씩 암기**	**하루에 30개씩 암기**

	12일 전략	15일 전략		30일 전략	40일 전략
16 day	601~640			521~560	561~600
17 day	601~640	641~680			561~600
18 day	601~640	641~680	681~720		
19 day		641~680	681~720	721~760	
20 day			681~720	721~760	761~800
21 day	801~840			721~760	761~800
22 day	801~840	841~880			761~800
23 day	801~840	841~880	881~920		
24 day		841~880	881~920	921~960	
24 day			881~920	921~960	961~1000
26 day	1001~1040			921~960	961~1000
27 day	1001~1040	1041~1080			961~1000
28 day	1001~1040	1041~1080	1081~1120		
29 day		1041~1080	1081~1120	1121~1160	
30 day			1081~1120	1121~1160	1161~1200

*색깔로 표시된 부분을 가장 중점적으로 공부하고 나머지 부분은 확인하는 정도만 해도 됩니다.

100% 활용하기

활용 1

1200개의 모든 단어에 해당 급수를 표시하여, 본인이 원하는 급수 단어만 따로 공부할 수 있습니다.
3급 시험 대비: 1~3급 단어 학습
4급 시험 대비: 1~4급 단어 학습

활용 2

1200개의 모든 단어에 한자의 훈음을 표기하여 단어의 뜻을 쉽게 유추해볼 수 있습니다.
한자의 훈음만 잘 알고 있으면 모르는 중국어 단어의 뜻까지 알아낼 수 있습니다.

예) 宾馆 bīnguǎn 몡 호텔
손님 빈 / 묵을 관
▶ 손님이 하룻밤 묵어 가는 곳

		한자	병음	훈음	뜻	
B	0018	④ 百分之	bǎifēnzhī	일백 백 ǀ 나눌 분 ǀ 어조사 지	몡 퍼센트	C
	0019	③ 班	bān	나눌 반	몡 조, 그룹, 반, 근무(시간)	
	0020	③ 搬	bān	옮길 반	동 (비교적 크거나 무거운 것을) 옮기다, 운반하다	
	0021	③ 半	bàn	반 반	수 절반, 2분의 1	
	0022	③ 办法	bànfǎ	다스릴 판 ǀ 법 법	몡 방법, 수단	
	0023	③ 办公室	bàngōngshì	다스릴 판 ǀ 공평할 공 ǀ 집 실	몡 사무실	
	0024	③ 帮忙	bāngmáng	도울 방 ǀ 바쁠 망	동 도움을 주다, 원조하다	
	0025	② 帮助	bāngzhù	도울 방 ǀ 도울 조	동 돕다, 원조하다 몡 도움, 원조	
	0026	④ 棒	bàng	몽둥이 봉	형 (성적이) 좋다, (수준이) 높다 몡 몽둥이	L5
	0027	③ 包	bāo	쌀 포	몡 주머니, 가방 동 (종이나 베 혹은 기타 얇은 것으로) 싸다	
	0028	④ 包子	bāozi	쌀 포 ǀ 접미사 자	몡 (소가 든) 찐빵, 바오쯔	L5
	0029	③ 饱	bǎo	배부를 포	형 배부르다	
	0030	④ 保护	bǎohù	지킬 보 ǀ 지킬 호	동 보호하다	
	0031	④ 保证	bǎozhèng	지킬 보 ǀ 증거 증	동 보증하다, 확신하다	
	0032	④ 抱	bào	안을 포	동 안다, 껴안다, 포용하다	
	0033	④ 报名	bàomíng	알릴 보 ǀ 이름 명	동 신청하다, 등록하다	
	0034	④ 抱歉	bàoqiàn	안을 포 ǀ 부족할 겸	동 미안해하다, 죄송합니다	
	0035	② 报纸	bàozhǐ	알릴 보 ǀ 종이 지	몡 신문	
	0036	① 杯子	bēizi	잔 배 ǀ 접미사 자	몡 (술·물·차 등 음료의) 잔, 컵	
	0037	③ 北方	běifāng	북녘 북 ǀ 모 방	몡 북방, 북쪽	

36

활용 3

품사는 다음과 같이 약자로 표시하였습니다.

명사	명	형용사	형	인칭대사	
동사	동	조동사	조동	의문대사	대
부사	부	접속사	접	지시대사	
수사	수	감탄사	감	어기조사	
양사	양	접두사	접두	시태조사	조
전치사	전	접미사	접미	구조조사	
고유명사	고유				

활용 4

개정된 단어에는 암호를 따로 표기했습니다.
N – 해당 급수에 새롭게 추가된 단어
C – 같은 급수에서 단어의 형태가 바뀐 단어
L 숫자 – 해당 급수가 바뀐 단어로 L뒤에 있는 숫자는 바뀌기 전 급수를 표기함.
예) ④ 棒 L5
▶ 5급에서 4급으로 급수 조정.

A

0001	③ 啊	a	어조사 아	🈁 문장 끝에 쓰여 감탄·찬탄을 나타냄
0002	③ 阿姨	āyí	호칭 옥 | 이모 이	🈁 이모, 아주머니
0003	③ 矮	ǎi	난쟁이 왜	🈁 (사람의 키가) 작다, (높이가) 낮다
0004	③ 爱	ài	사랑 애	🈁 사랑하다 🈁 ~하기를 좋아하다
0005	③ 爱好	àihào	사랑 애 | 좋을 호	🈁 취미 🈁 애호하다
0006	④ 爱情	àiqíng	사랑 애 | 뜻 정	🈁 남녀 간의 애정, 사랑
0007	③ 安静	ānjìng	편안할 안 | 고요할 정	🈁 조용하다, 고요하다
0008	④ 安排	ānpái	편안할 안 | 늘어설 배	🈁 (인원·시간 등을) 안배하다, 배치하다
0009	④ 安全	ānquán	편안할 안 | 온전할 전	🈁 안전하다
0010	④ 按时	ànshí	누를 안 | 때 시	🈁 제때에, 시간에 맞추어
0011	④ 按照	ànzhào	누를 안 | 비칠 조	🈁 ~에 의해, ~에 따라

B

0012	① 八	bā	여덟 팔	🈁 여덟, 8
0013	③ 把	bǎ	잡을 파	🈁 ~을(를), ~하게 하다
0014	① 爸爸	bàba	아비 파	🈁 아빠, 아버지
0015	② 吧	ba	어조사 파	🈁 문장 맨 끝에 쓰여, 상의·제의·청유·기대·명령 등의 어기를 나타냄
0016	② 白	bái	흰 백	🈁 하얗다, 희다 🈁 헛되이
0017	② 百	bǎi	일백 백	🈁 백, 100

0018	④	百分之	bǎifēnzhī	일백 백 | 나눌 분 | 어조사 지	명 퍼센트	C
0019	③	班	bān	나눌 반	명 조, 그룹, 반, 근무(시간)	
0020	③	搬	bān	옮길 반	동 (비교적 크거나 무거운 것을) 옮기다, 운반하다	
0021	③	半	bàn	반 반	수 절반, 2분의 1	
0022	③	办法	bànfǎ	다스릴 판 | 법 법	명 방법, 수단	
0023	③	办公室	bàngōngshì	다스릴 판 | 공평할 공 | 집 실	명 사무실	
0024	③	帮忙	bāngmáng	도울 방 | 바쁠 망	동 도움을 주다, 원조하다	
0025	②	帮助	bāngzhù	도울 방 | 도울 조	동 돕다, 원조하다 명 도움, 원조	
0026	④	棒	bàng	몽둥이 봉	형 (성적이) 좋다, (수준이) 높다 명 몽둥이	L5
0027	③	包	bāo	쌀 포	명 주머니, 가방 동 (종이나 베 혹은 기타 얇은 것으로) 싸다	
0028	④	包子	bāozi	쌀 포 | 접미사 자	명 (소가 든) 찐빵, 바오쯔	L5
0029	③	饱	bǎo	배부를 포	형 배부르다	
0030	④	保护	bǎohù	지킬 보 | 지킬 호	동 보호하다	
0031	④	保证	bǎozhèng	지킬 보 | 증거 증	동 보증하다, 확신하다	
0032	④	抱	bào	안을 포	동 안다, 껴안다, 포용하다	
0033	④	报名	bàomíng	알릴 보 | 이름 명	동 신청하다, 등록하다	
0034	④	抱歉	bàoqiàn	안을 포 | 부족할 겸	동 미안해하다, 죄송합니다	
0035	②	报纸	bàozhǐ	알릴 보 | 종이 지	명 신문	
0036	①	杯子	bēizi	잔 배 | 접미사 자	명 (술·물·차 등 음료의) 잔, 컵	
0037	③	北方	běifāng	북녘 북 | 모 방	명 북방, 북쪽	

번호	급수	단어	병음	한자 뜻	의미	레벨
0038	①	北京	Běijīng	북녘 북 | 서울 경	몡 베이징 (중국의 수도)	
0039	④	倍	bèi	곱 배	양 배, 배수, 곱절, 갑절	
0040	③	被	bèi	이불, 입을 피	젠 ~에게 ~을 당하다 동 덮다	
0041	①	本	běn	밑 본	몡 책, 공책 양 권(책을 세는 단위)	
0042	④	本来	běnlái	밑 본 | 올 래	뷔 본래, 원래	
0043	④	笨	bèn	거칠 분	혱 멍청하다, 우둔하다, 어리석다	
0044	③	鼻子	bízi	코 비 | 접미사 자	몡 코	
0045	②	比	bǐ	견줄 비	젠 ~에 비해, ~보다	
0046	③	比较	bǐjiào	견줄 비 | 견줄 교	뷔 비교적, 상대적으로 동 비교하다	
0047	④	比如	bǐrú	견줄 비 | 같을 여	동 예를 들면, 예컨대	L5
0048	③	比赛	bǐsài	견줄 비 | 겨룰 새	몡 경기, 시합	
0049	③	笔记本	bǐjìběn	붓 필 | 적을 기 | 밑 본	몡 노트, 수첩	L4
0050	③	必须	bìxū	반드시 필 | 틀림없이 수	뷔 반드시 ~해야 한다 몡 필요(성)	
0051	④	毕业	bìyè	마칠 필 | 업 업	동 졸업하다 몡 졸업	
0052	④	遍	biàn	두루 편	양 번, 회　동 두루 펴지다	
0053	③	变化	biànhuà	변할 변 | 화할 화	동 변화하다, 달라지다 몡 변화	
0054	④	标准	biāozhǔn	표할 표 | 기준 준	몡 표준, 기준	
0055	④	表格	biǎogé	겉 표 | 격식 격	몡 표, 양식, 도표	
0056	④	表示	biǎoshì	겉 표 | 보일 시	동 의미하다, 가리키다	L3
0057	④	表演	biǎoyǎn	겉 표 | 펼 연	몡 시범, 공연 동 공연하다, 연기하다	L3

번호	급수	단어	병음	훈음	뜻
0058	4	表扬	biǎoyáng	겉 표 | 칭찬할 양	통 칭찬하다, 표창하다
0059	2	别	bié	다를 별	형 별개의, 다른 　통 이별하다
0060	3	别人	biéren	다를 별 | 사람 인	대 남, 타인 　명 다른 사람
0061	2	宾馆	bīnguǎn	손님 빈 | 묵을 관	명 호텔 　L3
0062	3	冰箱	bīngxiāng	얼음 빙 | 상자 상	명 냉장고
0063	4	饼干	bǐnggān	떡 병 | 마를 건	명 비스킷, 과자
0064	4	并且	bìngqiě	아우를 병 | 또 차	접 게다가, 또한
0065	4	博士	bóshì	넓을 박 | 선비 사	명 박사
0066	3	不但…而且… búdàn…érqiě…	아니 부 | 다만 단 | 말 이을 이 | 또 차	접 ~뿐만 아니라, 게다가~ 　C
0067	4	不过	búguò	아닐 불 | 지날 과	접 그러나, 그렇지만
0068	1	不客气	bú kèqi	아닐 불 | 손님 객 | 기운 기	형 사양하지 않다, 천만에요
0069	1	不	bù	아닐 부	부 (동사·형용사 또는 기타 부사 앞에서) 부정(否定)을 나타냄.
0070	4	不得不	bùdébù	아닐 부 | 얻을 득 | 아닐 불	부 어쩔 수 없이
0071	4	不管	bùguǎn	아닐 불 | 주관할 관	접 ~에 관계없이, ~을 막론하고
0072	4	不仅	bùjǐn	아닐 불 | 겨우 근	접 ~뿐만 아니라
0073	4	部分	bùfen	떼 부 | 나눌 분	명 (전체 중의) 부분, 일부(분)

C

0074	4	擦	cā	비빌 찰	통 (천·수건 등으로) 닦다
0075	4	猜	cāi	의심할 시	통 추측하다, 알아맞히다
0076	4	材料	cáiliào	재목 재 | 재료 료	명 재료, 원료, 자재
0077	1	菜	cài	나물 채	명 요리, 채소, 야채

0078	③	菜单	càidān	나물 채 | 단지 단	몡 메뉴, 식단	
0079	④	参观	cānguān	참가할 참 | 볼 관	통 참관하다, 견학하다	
0080	③	参加	cānjiā	참가할 참 | 더할 가	통 참가하다, 가입하다, 참여하다	
0081	④	餐厅	cāntīng	먹을 찬 | 관청 청	몡 식당, 레스토랑	**L5**
0082	③	草	cǎo	풀 초	몡 풀	
0083	④	厕所	cèsuǒ	뒷간 측 | 곳 소	몡 화장실, 변소	**L5**
0084	③	层	céng	층집 층	몡 층, 계층 양 층, 겹	
0085	①	茶	chá	차나무 차	몡 차	
0086	③	差	chà	어긋날 차	혱 나쁘다, 표준에 못 미치다 통 부족하다, 모자라다	
0087	④	差不多	chàbuduō	어긋날 차 | 아닐 불 | 많을 다	혱 (시간 · 정도 · 거리 등이) 큰 차이가 없다 閏 거의, 대체로	
0088	②	长	cháng	길 장	혱 (길이가) 길다	
0089	④	长城	Chángchéng	길 장 | 성 성	고유 만리장성	
0090	④	长江	Chángjiāng	길 장 | 물 이름 강	몡 창장, 양쯔장(扬子江)	
0091	④	尝	cháng	맛볼 상	통 맛보다	
0092	④	场	chǎng	마당 장	몡 장소, 곳 양 회, 번, 차례	
0093	②	唱歌	chànggē	부를 창 | 노래 가	통 노래 부르다	
0094	④	超过	chāoguò	뛰어넘을 초 | 지나칠 과	통 초과하다, 넘다	
0095	③	超市	chāoshì	뛰어넘을 초 | 저자 시	몡 슈퍼마켓	
0096	③	衬衫	chènshān	속옷 촌 | 윗도리 삼	몡 와이셔츠, 셔츠, 블라우스	
0097	④	成功	chénggōng	이룰 성 | 공로 공	통 성공하다 몡 성공	
0098	③	成绩	chéngjì	이룰 성 | 공적 적	몡 (일 · 학업상의) 성적, 성과, 수확	
0099	④	诚实	chéngshí	정성 성 | 갖출 실	혱 (언행이) 진실하다, 성실하다	
0100	③	城市	chéngshì	성 성 | 시장 시	몡 도시	

0101	④ 成为	chéngwéi	이룰 성 | 행할 위	통 ~이(가) 되다, ~(으)로 되다
0102	④ 乘坐	chéngzuò	탈 승 | 앉을 좌	통 (자동차·배·비행기 등을) 타다
0103	① 吃	chī	먹을 흘	통 먹다
0104	④ 吃惊	chījīng	먹을 흘 | 놀랄 경	통 놀라다
0105	③ 迟到	chídào	더딜 지 | 이를 도	통 지각하다, 늦게 도착하다
0106	④ 重新	chóngxīn	거듭할 중 | 처음 신	부 다시, 재차, 새로이
0107	④ 抽烟	chōu yān	뽑을 추 | 연기 연	통 담배(를) 피우다
0108	② 出	chū	날 출	통 나가다, 나오다
0109	④ 出差	chūchāi	날 출 | 보낼 차	통 외지로 출장 가다
0110	④ 出发	chūfā	날 출 | 쏠, 일으킬 발	통 출발하다, 떠나다
0111	④ 出生	chūshēng	날 출 | 날 생	통 출생하다, 태어나다
0112	④ 出现	chūxiàn	날 출 | 나타날 현	통 출현하다, 나타나다 **L3**
0113	① 出租车	chūzūchē	날 출 | 세낼 조 | 수레 차	명 택시
0114	④ 厨房	chúfáng	부엌 주 | 방 방	명 주방, 부엌 **L3**
0115	③ 除了	chúle	제거할 제 | 어조사 료	전 ~을(를) 제외하고
0116	② 穿	chuān	뚫을 천	통 입다, 신다
0117	③ 船	chuán	배 선	명 배, 선박 **L2**
0118	④ 传真	chuánzhēn	전할 전 | 참 진	명 팩시밀리(facsimile), 팩스
0119	④ 窗户	chuānghu	창 창 | 문 호	명 창문
0120	③ 春	chūn	봄 춘	명 봄
0121	③ 词典	cídiǎn	말 사 | 법 전	명 사전 **L4**
0122	④ 词语	cíyǔ	말 사 | 말할 어	명 단어와 어구, 어휘 **L3**
0123	② 次	cì	버금 차	양 차례, 번, 회
0124	③ 聪明	cōngming	밝을 총 | 밝을 명	형 똑똑하다, 총명하다
0125	② 从	cóng	따를 종	전 ~부터, ~을 기점으로
0126	④ 从来	cónglái	따를 종 | 올 래	부 (과거부터) 지금까지, 여태껏

번호	급수	단어	병음	훈음	뜻
0127	4	粗心	cūxīn	거칠 조 | 마음 심	형 소홀하다, 부주의하다
0128	4	存	cún	있을 존	동 보존하다, 저장하다 **L5**
0129	2	错	cuò	어긋날 착, 허둥지둥할 조	동 틀리다, 맞지 않다 명 착오, 잘못
0130	4	错误	cuòwù	섞일 착 | 틀릴 오	명 착오, 잘못 **L5**

D

번호	급수	단어	병음	훈음	뜻
0131	4	答案	dá'àn	대답할 답 | 안건 안	명 답안, 답, 해답
0132	4	打扮	dǎban	칠 타 | 꾸밀 분	동 화장하다, 꾸미다, 치장하다
0133	1	打电话	dǎ diànhuà	칠 타 | 번개 전 | 이야기 화	동 전화를 걸다
0134	2	打篮球	dǎ lánqiú	칠 타 | 바구니 람 | 공 구	동 농구하다
0135	4	打扰	dǎrǎo	칠 타 | 어지러울 요	동 방해하다, 지장을 주다
0136	3	打扫	dǎsǎo	칠 타 | 쓸 소	동 청소하다
0137	3	打算	dǎsuan	칠 타 | 셀 산	동 ~할 계획이다 명 계획
0138	4	打印	dǎyìn	칠 타 | 도장 인	동 인쇄하다, 프린트하다
0139	4	打招呼	dǎ zhāohu	칠 타 | 부를 초 | 부를 호	동 인사하다 **L5**
0140	4	打折	dǎzhé	칠 타 | 꺾일 절	동 가격을 깎다, 디스카운트하다
0141	4	打针	dǎzhēn	칠 타 | 바늘 침	동 주사를 맞다(놓다)
0142	1	大	dà	클 대	형 크다, 넓다
0143	4	大概	dàgài	클 대 | 대개 개	부 아마도, 대략
0144	2	大家	dàjiā	클 대 | 집 가	대 모두, 다들
0145	4	大使馆	dàshǐguǎn	클 대 | 부릴 사 | 객사 관	명 대사관
0146	4	大约	dàyuē	클 대 | 맺을 약	부 대략, 대강, 얼추
0147	3	带	dài	띠 대	동 지니다, 휴대하다 명 벨트
0148	4	戴	dài	머리에 일 대	동 착용하다, 쓰다, 몸에 달다

번호	급수	단어	병음	훈음	뜻
0149	4	大夫	dàifu	클 대 | 지아비 부	명 의사
0150	3	担心	dānxīn	멜 담 | 마음 심	동 걱정하다, 근심하다
0151	3	蛋糕	dàngāo	알 단 | 떡 고	명 케이크
0152	4	当	dāng	마땅할 당	동 ~이(가) 되다, ~를 맡다
0153	3	当然	dāngrán	마땅할 당 | 그러할 연	형 당연하다 부 당연히, 물론
0154	4	当时	dāngshí	마땅할 당 | 때 시	명 당시, 그때
0155	4	刀	dāo	칼 도	명 칼
0156	4	导游	dǎoyóu	이끌 도 | 노닐 유	명 여행 가이드
0157	2	到	dào	이를 도	동 도착하다, 어느 곳에 이르다
0158	4	到处	dàochù	이를 도	부 도처, 곳곳
0159	4	到底	dàodǐ	이를 도 | 밑 저	부 도대체, 대관절
0160	4	倒	dǎo	거꾸로 도	동 넘어지다, 자빠지다, **L5** (사업이) 망하다, 실패하다
0161	4	道歉	dàoqiàn	말할 도 | 부족할 겸	동 사과하다
0162	4	得意	déyì	얻을 득 | 뜻 의	형 득의 양양하다
0163	1	的	de	목표 적	조 ~한 ~의(관형어 구조를 만듦)
0164	2	得	de	어조사 득	조 (동사나 형용사 뒤에 쓰여) 결과나 정도를 나타냄
0165	3	地	de	땅 지	조 ~하게(부사어 구조를 만듦)
0166	4	得	děi	어조사 득	조동 ~해야 한다
0167	3	灯	dēng	등잔 등	명 등, 램프
0168	4	登机牌	dēngjīpái	오를 등 | 기계 기 | 패 패	명 비행기의 탑승권 **L5**
0169	2	等	děng	기다릴 등	동 기다리다
0170	4	等	děng	무리 등	조 등, 따위
0171	4	低	dī	낮을 저	형 (높이, 등급이) 낮다 **L3**
0172	4	底	dǐ	밑 저	명 밑, 바닥, 끝

0173	② 弟弟	dìdi	아우 제	몡 남동생
0174	④ 地点	dìdiǎn	땅 지 l 점 점	몡 지점, 장소, 소재지
0175	③ 地方	dìfang	땅 지 l 모 방	몡 장소, 곳
0176	④ 地球	dìqiú	땅 지 l 공 구	몡 지구
0177	③ 地铁	dìtiě	땅 지 l 쇠 철	몡 지하철
0178	③ 地图	dìtú	땅 지 l 그림 도	몡 지도
0179	④ 地址	dìzhǐ	땅 지 l 터 지	몡 주소
0180	② 第一	dìyī	차례 제 l 한 일	쥐 제1, 첫번째 혱 제일이다
0181	① 点	diǎn	점 점	얭 시(時) 동 주문하다
0182	① 电脑	diànnǎo	선기 전 l 골 뇌	몡 컴퓨터
0183	① 电视	diànshì	전기 전 l 볼 시	몡 텔레비전
0184	③ 电梯	diàntī	전기 전 l 사다리 제	몡 엘리베이터
0185	① 电影	diànyǐng	전기 전 l 그림자 영	몡 영화
0186	③ 电子邮件	diànzǐ yóujiàn	전기 전 l 접미사 자 l 우편 우 l 사건 건	몡 이메일
0187	④ 掉	diào	떨어질 도	동 떨어지다
0188	④ 调查	diàochá	조사할 조 l 조사할 사	동 조사하다
0189	④ 丢	diū	잃을 주	동 잃다, 잃어버리다, 버리다
0190	③ 东	dōng	동녘 동	몡 동쪽, 동방
0191	③ 冬	dōng	겨울 동	몡 겨울
0192	① 东西	dōngxi	동녘 동 l 서녘 서	몡 물건, 물품
0193	② 懂	dǒng	알 동	동 알다, 이해하다
0194	③ 动物	dòngwù	움직일 동 l 물건 물	몡 동물
0195	④ 动作	dòngzuò	움직일 동 l 지을 작	몡 동작
0196	① 都	dōu	움직일 동 l 지을 작	뷔 모두, 이미, 심지어
0197	① 读	dú	읽을 독	동 읽다, 낭독하다

번호	급수	단어	병음	한자 뜻	뜻	
0198	4	堵车	dǔchē	막을 도 | 수레 차	통 교통이 꽉 막히다	
0199	4	肚子	dùzi	배 두 | 접미사 자	명 복부, 배	
0200	3	短	duǎn	짧을 단	형 짧다	
0201	4	短信	duǎnxì	짧을 단 | 믿을 신	명 문자 메시지	L5
0202	3	段	duàn	구분 단	양 (장소, 시간, 사물의) 한 단락	
0203	3	锻炼	duànliàn	두드릴 단 | 달굴 련	통 단조하다, 단련하다	
0204	2	对	duì	대답할 대	형 맞다, 옳다	L4
0205	2	对	duì	대할 대	전 ~에게, ~을(를) 향하여	
0206	1	对不起	duìbuqǐ	대할 대 | 아닐 불 | 일어설 기	통 미안합니다, 죄송합니다	
0207	4	对话	duìhuà	대할 대 | 이야기 화	통 대화하다 명 대화	
0208	4	对面	duìmiàn	대할 대 | 얼굴 면	명 맞은편, 반대편	
0209	4	对于	duìyú	대할 대 | 어조사 우	전 ~에 대해(서)	L5
0210	1	多	duō	많을 다	형 많다	
0211	3	多么	duōme	많을 다 | 그런가 마	부 얼마나	
0212	1	多少	duōshao	많을 다 | 적을 소	대 얼마, 몇	

E

번호	급수	단어	병음	한자 뜻	뜻
0213	3	饿	è	주릴 아	형 배고프다
0214	4	而	ér	말 이을 이	접 ~하고도(순접), ~지만, 그러나(역접)
0215	4	儿童	értóng	아이 아 | 아이 동	명 아동, 어린이
0216	1	儿子	érzi	아이 아 | 접미사 자	명 아들
0217	3	耳朵	ěrduo	귀 이 | 늘어질 타	명 귀
0218	1	二	èr	두 이	수 둘, 2

0219	③ 发	fā	쏠, 일으킬발	동 보내다, 발생하다, 생기다 **L4**
0220	③ 发烧	fāshāo	일으킬발 | 불사를 소	동 열이 나다
0221	④ 发生	fāshēng	일으킬발 | 날 생	동 생기다, 발생하다
0222	③ 发现	fāxiàn	일으킬발 | 나타날 현	동 발견하다, 알아차리다
0223	④ 发展	fāzhǎn	일으킬발 | 펼칠 전	동 발전하다, 발전시키다
0224	④ 法律	fǎlǜ	법법 | 다스릴 률	명 법률
0225	④ 翻译	fānyì	뒤집을 번 | 번역할 역	동 번역하다, 통역하다
0226	④ 烦恼	fánnǎo	괴로워할 번 | 괴로워할 뇌	형 고민하다 명 고민, 번뇌
0227	④ 反对	fǎnduì	돌이킬반 | 대할 대	동 반대하다
0228	① 饭店	fàndiàn	밥반 | 가게 점	명 호텔, 식당 **C**
0229	③ 方便	fāngbiàn	모방 | 편할 편	형 편리하다, 적합하다
0230	④ 方法	fāngfǎ	모방 | 법법	명 방법, 수단
0231	④ 方面	fāngmiàn	모방 | 얼굴 면	명 방면, 분야
0232	④ 方向	fāngxiàng	모방 | 향할 향	명 방향
0233	④ 房东	fángdōng	방방 | 동녘 동	명 집주인 **L5**
0234	② 房间	fángjiān	방방 | 사이 간	명 방
0235	③ 放	fàng	놓을방	동 놓다, 두다, 놓아주다
0236	④ 放弃	fàngqì	놓을방 | 버릴 기	동 버리다, 포기하다
0237	④ 放暑假	fàng shǔjià	놓을방 | 여름 서 | 틈 가	동 여름 방학을 하다
0238	④ 放松	fàngsōng	놓을방 | 풀 송	동 늦추다, 느슨하게 하다 긴장을 풀다 **L5**
0239	③ 放心	fàngxīn	놓을방 | 마음 심	동 마음을 놓다, 안심하다
0240	② 非常	fēicháng	아닐 비 | 항상 상	부 대단히, 매우, 아주
0241	① 飞机	fēijī	날 비 | 기계 기	명 비행기

0242	③ 分	fēn	나눌 분	명 (시간, 점수의) 분 동 나누다
0243	① 分钟	fēnzhōng	나눌 분 | 종 종	명 분
0244	④ 份	fèn	몫, 부분 분	명 몫, 배당 양 부, 세트(문서, 신문 등을 세는 단위)
0245	④ 丰富	fēngfù	풍년 풍 | 넉넉할 부	형 많다, 풍부하다
0246	④ 否则	fǒuzé	아닐 부 | 곧 즉, 법칙 칙	접 만약 그렇지 않으면
0247	④ 符合	fúhé	들어맞을 부 | 합할 합	동 부합하다
0248	② 服务员	fúwùyuán	옷 복 | 힘쓸 무 | 인원 원	명 종업원
0249	④ 富	fù	넉넉할 부	형 풍부하다, 부유하다
0250	③ 附近	fùjìn	붙일 부 | 가까울 근	명 부근, 근처
0251	④ 付款	fùkuǎn	줄 부 | 돈 전	동 돈을 지불하다 **L5**
0252	④ 父亲	fùqīn	아비 부 | 친할 친	명 아버지
0253	③ 复习	fùxí	다시 부 | 익힐 습	동 복습하다 명 복습
0254	④ 复印	fùyìn	다시 부 | 묻어날 인	동 복사하다
0255	④ 复杂	fùzá	거듭 복 | 번거로울 잡	형 복잡하다
0256	④ 负责	fùzé	질 부 | 꾸짖을 책	동 책임지다

G

0257	④ 改变	gǎibiàn	고칠 개 | 변할 변	동 변하다, 바뀌다
0258	④ 干杯	gānbēi	마를 건 | 잔 배	동 건배하다
0259	③ 干净	gānjìng	마를 건 | 깨끗할 정	형 깨끗하다
0260	④ 赶	gǎn	쫓을 간	동 뒤쫓다, 추적하다, 서두르다 **N**
0261	④ 敢	gǎn	감히 감	조동 감히 ~하다 **L3**
0262	④ 感动	gǎndòng	느낄 감 | 움직일 동	동 감동하다, 감동시키다

번호	급수	단어	병음	훈음	뜻	
0263	4	感觉	gǎnjué	느낄 감 | 깨달을 각	동 느끼다 명 감상, 느낌	
0264	3	感冒	gǎnmào	느낄 감 | 무릅쓸 모	명 감기 동 감기에 걸리다	
0265	4	感情	gǎnqíng	느낄 감 | 뜻 정	명 감정	
0266	4	感谢	gǎnxiè	느낄 감 | 사례할 사	동 고맙다, 감사하다	
0267	3	感兴趣	gǎn xìngqù	느낄 감 | 흥미 흥 | 재미 취	동 흥미가 있다	C
0268	4	干	gàn	일할 간	동 하다	
0269	4	刚	gāng	바야흐로 강	부 방금, 막	C
0270	3	刚才	gāngcái	바야흐로 강 | 겨우 재	명 아까, 방금	
0271	2	高	gāo	높을 고	형 (높이가) 높다	
0272	4	高速公路	gāosù gōnglù	높을 고 | 빠를 속 | 함께할 공 | 길 로	명 고속 도로	L5
0273	1	高兴	gāoxìng	높을 고 | 기뻐할 흥	형 기쁘다, 즐겁다	
0274	2	告诉	gàosu	고할 고 | 아뢸 소	동 말하다, 알리다	
0275	4	胳膊	gēbo	팔 각 | 어깨 박	명 팔	L5
0276	2	哥哥	gēge	형 가	명 형, 오빠	
0277	4	各	gè	각각 각	대 각자, 여러	
0278	3	个子	gèzi	낱 개 | 접미사 자	명 (사람의) 키	L4
0279	1	个	ge	낱 개	양 개, 사람(물건, 사람을 세는 단위)	
0280	2	给	gěi	줄 급	동 주다 전 ~에게	
0281	3	跟	gēn	따라다닐, 발꿈치 근	전 ~와(과) 동 따라가다	
0282	3	根据	gēnjù	뿌리 근 | 의거할 거	동 근거하다 전 ~에 근거하여	
0283	3	更	gèng	다시 갱	부 더욱, 더	
0284	4	功夫	gōngfu	공로 공 | 지아비 부	명 시간, 틈, 노력	L5
0285	2	公共汽车	gōnggòng qìchē	공평할 공 | 함께 공 | 김 기 | 수레 차	명 버스	
0286	3	公斤	gōngjīn	공평할 공 | 도끼 근	양 킬로그램(kg)	

번호	급수	단어	병음	훈음	뜻
0287	4	公里	gōnglǐ	공평할 공 | 안 리	양 킬로미터(km)
0288	2	公司	gōngsī	공평할 공 | 맡을 사	명 회사　**L2**
0289	3	公园	gōngyuán	공평할 공 | 동산 원	명 공원
0290	4	工资	gōngzī	장인 공 | 재물 자	명 월급
0291	1	工作	gōngzuò	장인 공 | 지을 작	명 직업, 일자리　동 일하다
0292	4	共同	gòngtóng	함께 공 | 같을 동	형 공동의, 공통의
0293	1	狗	gǒu	개 구	명 개(동물)
0294	4	够	gòu	많을 구	동 충분하다, 넉넉하다, 족하다
0295	4	购物	gòuwù	살 구 | 물건 물	동 물건을 사다
0296	4	估计	gūjì	값 고 | 셈 계	동 추측하다, 예측하다
0297	4	鼓励	gǔlì	북 고 | 권면할 려	동 격려하다
0298	4	顾客	gùkè	돌아볼 고 | 손님 객	명 고객, 손님
0299	3	故事	gùshi	옛 고 | 일 사	명 이야기
0300	4	故意	gùyì	연고 고 | 뜻 의	부 고의로, 일부러　명 고의
0301	3	刮风	guā fēng	바람 불 괄 | 바람 풍	동 바람이 불다
0302	4	挂	guà	걸 괘	동 걸다
0303	3	关	guān	빗장 관	동 (문, 서랍을) 닫다, (제품을) 끄다
0304	4	关键	guānjiàn	빗장 관 | 열쇠 건	명 관건
0305	3	关系	guānxi	관계할 관 | 맬 계	명 관계　동 관계하다
0306	3	关心	guānxīn	관계할 관 | 마음 심	동 관심을 갖다, 관심을 기울이다
0307	3	关于	guānyú	관계할 관 | 어조사 우	전 ~에 관하여
0308	4	观众	guānzhòng	볼 관 | 무리 중	명 관중, 구경꾼, 시청자
0309	4	管理	guǎnlǐ	주관할 관 | 다스릴 리	동 보관하고 처리하다, 관리하다
0310	4	光	guāng	빛 광	부 단지, 다만
0311	4	广播	guǎngbō	넓을 광 | 뿌릴	동 방송하다　명 방송
0312	4	广告	guǎnggào	넓을 광 | 고할 고	명 광고

0313	④ 逛	guàng	노닐 광	图 돌아다니다, 구경하다	
0314	④ 规定	guīdìng	법 규 | 정할 정	图 규정하다　명 규정	
0315	② 贵	guì	귀할 귀	형 비싸다	
0316	④ 国籍	guójí	나라 국 | 호적 적	명 (사람의) 국적	L5
0317	④ 国际	guójì	나라 국 | 사이 제	명 국제　형 국제적인	
0318	③ 国家	guójiā	나라 국 | 집 가	명 국가, 나라	
0319	④ 果汁	guǒzhī	열매 과 | 즙 즙	명 과일즙	L3
0320	③ 过	guò	지나칠 과	图 가다, 건너다	L4
0321	④ 过程	guòchéng	지나칠 과 | 길 정	명 과정	
0322	③ 过去	guòqù	지나칠 과 | 갈 거	명 과거　图 지나가다	
0323	② 过	guo	지나칠 과	조 ~한 적이 있다[동작·경험의 완료를 나타냄]	

<table>
<tr><td colspan="6" align="center">H</td></tr>
</table>

0324	② 还	hái	여전히 환	图 역시, 아직, 또	
0325	③ 还是	háishi	여전히 환 | 옳을 시	접 또는, 아니면 图 아무래도 ~하는 편이 낫다	
0326	② 孩子	háizi	어린아이 해 | 접미사 자	명 애, 어린이	
0327	④ 海洋	hǎiyáng	바다 해 | 큰 바다 양	명 해양, 바다	
0328	③ 害怕	hàipà	해칠 해 | 두려워할 파	图 겁내다, 두려워하다	
0329	④ 害羞	hàixiū	해칠 해 | 부끄러워할 수	图 부끄러워하다, 수줍어하다	
0330	④ 寒假	hánjià	찰 한 | 휴가, 틈 가	명 겨울방학	
0331	④ 汗	hàn	땀 한	명 땀	
0332	① 汉语	Hànyǔ	한나라 한 | 말할 어	명 중국어, 한어	
0333	④ 航班	hángbān	배 항 | 나눌 반	명 운항편, 항공편	

번호	급수	단어	병음	훈음	뜻	
0334	1	好	hǎo	좋을 호	형 좋다	
0335	2	好吃	hǎochī	좋을 호 | 먹을 흘	형 맛있다, 맛나다	
0336	4	好处	hǎochu	좋을 호 | 곳 처	명 은혜, 혜택, 이점, 장점	
0337	4	好像	hǎoxiàng	좋을 호 | 닮을 상	부 마치 ~과 같다	
0338	1	号	hào	부르짖을 호	명 번호, (날짜의) 일	L2
0339	4	号码	hàomǎ	부르짖을 호 | 셈할 마	명 번호	
0340	1	喝	hē	마실 갈	동 마시다	
0341	1	和	hé	화목할 화	접 ~와(과)	
0342	4	合格	hégé	합할 합 | 규격 격	형 규격에 맞다, 합격이다	
0343	4	合适	héshì	합할 합 | 맞을 적	형 적당하다, 알맞다	
0344	4	盒子	hézi	그릇 합 | 접미사 자	명 작은 상자, 합, 곽	
0345	2	黑	hēi	검을 흑	형 검다, 까맣다	
0346	3	黑板	hēibǎn	검을 흑 | 널 조각 판	명 칠판	
0347	1	很	hěn	매우 흔	부 매우, 대단히, 아주	
0348	2	红	hóng	붉을 홍	형 붉다, 빨갛다	
0349	4	厚	hòu	두터울 후	형 두껍다, 두텁다	
0350	4	后悔	hòuhuǐ	뒤 후 | 뉘우칠 회	동 후회하다	
0351	3	后来	hòulái	뒤 후 | 올 래	명 그 후, 그 뒤, 그 다음	L4
0352	1	后面	hòumiàn	뒤 후 | 얼굴 면	명 뒤, 뒤쪽, 뒷면	
0353	4	护士	hùshi	보호할 호 | 선비 사	명 간호사	
0354	4	互相	hùxiāng	서로 호 | 서로 상	부 서로, 상호	
0355	3	护照	hùzhào	보호할 호 | 비출 조	명 여권	
0356	4	互联网	hùliánwǎng	서로 호 | 연합할 련 | 그물 망	명 인터넷	L6
0357	3	花	huā	꽃 화	명 꽃	C
0358	3	花	huā	쓸 화	동 쓰다, 소비하다	

No.	Level	汉字	拼音	훈음	뜻	
0359	3	画	huà	그림 화	통 그림을 그리다	
0360	4	怀疑	huáiyí	품을 회 | 의심할 의	통 의심하다	
0361	3	坏	huài	상할 괴	형 나쁘다, (음식이) 상하다, (기계가) 고장나다	
0362	3	欢迎	huānyíng	기뻐할 환 | 맞이할 영	통 환영하다	L2
0363	3	还	huán	다시, 돌아올 환	통 돌려주다	
0364	3	环境	huánjìng	고리 환 | 경계 경	명 환경	
0365	3	换	huàn	바꿀 환	통 교환하다, 바꾸다	
0366	3	黄河	Huáng Hé	누를 황 | 물 이름 하	명 황허(중국의 강 이름)	N
0367	1	回	huí	돌아올 회	통 돌아가다, 돌아오다, (전화) 회답하다	
0368	3	回答	huídá	돌아올 회 | 대답할 답	통 대답하다	L2
0369	4	回忆	huíyì	돌아올 회 | 기억할 억	통 회상하다, 추억하다	
0370	1	会	huì	모일 회	조동 (배워서) ~를 할 수 있다	
0371	3	会议	huìyì	모일 회 | 의논할 의	명 회의	
0372	4	活动	huódòng	살 활 | 움직일 동	명 활동, 행사 / 통 (몸을) 움직이다, 활동하다	
0373	4	活泼	huópo	살 활 | 솟아날 발	형 활발하다	
0374	4	火	huǒ	불 화	명 불	
0375	2	火车站	huǒchēzhàn	불 화 | 수레 차 | 역마을 참	명 기차역	L1
0376	4	获得	huòdé	얻을 획 | 얻을 득	통 얻다, 취득하다	
0377	3	或者	huòzhě	혹시 혹 | 놈 자	접 ~이던가 아니면 ~이다	

J

No.	Level	汉字	拼音	훈음	뜻
0378	2	机场	jīchǎng	기계 기 | 마당 장	명 공항, 비행장

0379	④ 基础	jīchǔ	터 기 │ 주춧돌 초	명 기초
0380	② 鸡蛋	jīdàn	닭 계 │ 새알 단	명 계란
0381	④ 激动	jīdòng	과격할 격 │ 움직일 동	동 감격하다, 감동하다, 흥분하다
0382	③ 几乎	jīhū	몇 기 │ 감탄사 호	부 거의
0383	③ 机会	jīhuì	기계 기 │ 모일 회	명 기회
0384	④ 积极	jījí	쌓을 적 │ 다할 극	형 적극적이다, 열성적이다
0385	④ 积累	jīlěi	쌓을 적 │ 여러 루	동 쌓이다, 누적되다
0386	③ 极	jí	다할 극	부 아주, 극히
0387	④ 及时	jíshí	미칠 급 │ 때 시	형 시기 적절하다 부 제때에, 적시에, 즉시, 곧바로
0388	④ 即使	jíshǐ	곧 즉 │ 하여금 사	접 설령 ~일지라도
0389	① 几	jǐ	몇 기	수 몇
0390	④ 寄	jì	부칠 기	동 우편으로 부치다, 보내다
0391	③ 记得	jìde	기억할 기 │ 어조사 득	동 기억하고 있다
0392	④ 计划	jìhuà	셀 계 │ 그을 획	동 계획하다 명 계획
0393	③ 季节	jìjié	철 계 │ 마디 절	명 계절, 철, 절기
0394	④ 既然	jìrán	이미 기 │ 그러할 연	접 ~된 바에야, ~한 이상
0395	④ 技术	jìshù	재주 기 │ 꾀 술	명 기술
0396	④ 继续	jìxù	이을 계 │ 이을 속	동 계속하다
0397	④ 记者	jìzhě	기록할 기 │ 놈 자	명 기자
0398	① 家	jiā	집 가	명 집
0399	④ 加班	jiābān	더할 가 │ 나눌 반	동 야근하다
0400	④ 家具	jiājù	집, 가구 가 │ 갖출 구	명 가구
0401	④ 加油站	jiāyóuzhàn	더할 가 │ 기름 유 │ 역 참	명 주유소
0402	④ 假	jiǎ	거짓 가	형 거짓의, 가짜의
0403	④ 价格	jiàgé	값 가 │ 격식 격	명 가격, 값

번호	급수	단어	병음	한자 훈음	뜻
0404	4	坚持	jiānchí	굳을 견 | 버틸 지	동 견지하다, 고수하다
0405	3	检查	jiǎnchá	검사할 검 | 조사할 사	동 검사하다
0406	3	简单	jiǎndān	간단할 간 | 단지 단	형 간단하다, 단순하다
0407	4	减肥	jiǎnféi	덜 감 | 살찔, 기름 비	동 살을 빼다, 감량하다
0408	4	减少	jiǎnshǎo	덜 감 | 적을 소	동 감소하다, 줄다, 줄이다
0409	3	见面	jiànmiàn	볼 견 | 얼굴 면	동 만나다, 대면하다
0410	2	件	jiàn	사건 건	양 건, 벌[사건·옷 등을 세는 단위]
0411	4	建议	jiànyì	세울 건 | 의논할 의	동 제안하다, 건의하다 **L5**
0412	3	健康	jiànkāng	굳셀 긴 | 편안할 강	형 건강하다
0413	4	将来	jiānglái	장차 장 | 올 래	명 장래, 미래
0414	3	讲	jiǎng	이야기할 강	동 말하다, 이야기하다
0415	4	奖金	jiǎngjīn	장려할 장 | 쇠 금	명 상금, 상여금
0416	4	降低	jiàngdī	내릴 강 | 낮을 저	동 내리다, 낮추다
0417	4	降落	jiàngluò	내려갈 강 | 떨어질 락	동 내려오다, 착륙하다 **L5**
0418	3	教	jiāo	가르칠 교	동 가르치다
0419	4	交	jiāo	사귈 교	동 왕래하다, 사귀다
0420	4	交流	jiāoliú	사귈 교 | 흐를 류	동 서로 소통하다, 교류하다
0421	4	交通	jiāotōng	사귈 교 | 통할 통	명 교통
0422	4	郊区	jiāoqū	교외 교 | 지역 구	명 도시의 변두리 **L5**
0423	4	骄傲	jiāo'ào	교만할 교 | 업신여길 오	형 오만하다, 거만하다
0424	3	角	jiǎo	뿔 각	명 뿔, 모서리, 각
0425	3	脚	jiǎo	다리 각	명 발
0426	4	饺子	jiǎozi	경단 교 | 접미사 자	명 만두, 교자
0427	1	叫	jiào	부르짖을 규	동 ~라고 부르다, ~에게 시키다(사역)

0428	② 教室	jiàoshì	가르칠 교 | 집 실	명 교실	
0429	④ 教授	jiàoshòu	가르칠 교 | 줄 수	명 교수	
0430	④ 教育	jiàoyù	가르칠 교 | 기를 육	명 교육	
0431	③ 接	jiē	가까이할 접	동 (전화를) 받다, (사람을) 마중하다, 픽업하다	
0432	④ 接受	jiēshòu	가까이할 접 | 받을 수	동 받아들이다, 받다	
0433	④ 接着	jiēzhe	이을 접 | 어조사 착	부 이어서, 연이어	L5
0434	③ 街道	jiēdào	길 가 | 길 도	명 거리	
0435	④ 节	jié	마디 절	명 기념일, 관절	L5
0436	③ 节目	jiémù	마디 절 | 눈 목	명 프로그램, 항목	
0437	③ 节日	jiérì	마디 절 | 날 일	명 경축일, 명절	
0438	④ 节约	jiéyuē	마디 절 | 약속 약	동 절약하다	
0439	④ 结果	jiéguǒ	맺을 결 | 결과 과	명 결과	
0440	③ 结婚	jiéhūn	맺을 결 | 혼인할 혼	동 결혼하다	
0441	③ 结束	jiéshù	맺을 결 | 묶을 속	동 끝나다, 마치다	
0442	② 姐姐	jiějie	손위 누이 저	명 누나, 언니	
0443	③ 解决	jiějué	풀 해 | 결정할 결	동 해결하다	
0444	④ 解释	jiěshì	풀 해 | 풀이할 석	동 해석하다	
0445	③ 借	jiè	빌릴 차	동 빌리다	
0446	② 介绍	jièshào	낄 개 | 이을, 소개할 소	동 소개하다	
0447	① 今天	jīntiān	지금 금 | 하늘 천	명 오늘	
0448	④ 尽管	jǐnguǎn	다할 진 | 주관할 관	접 비록 ~지만　부 얼마든지	
0449	④ 紧张	jǐnzhāng	팽팽할 긴 | 넓힐 장	형 긴장해 있다, 불안하다	
0450	② 进	jìn	나아갈 진	동 들어가다	
0451	② 近	jìn	가까울 근	형 가깝다	
0452	④ 进行	jìnxíng	나아갈 진 | 다닐 행	동 진행하다	

0453	4	禁止	jìnzhǐ	금할 금 | 그칠 지	동 금지하다	
0454	4	精彩	jīngcǎi	아름다울 정 | 채색 채	형 뛰어나다, 훌륭하다	
0455	3	经常	jīngcháng	지날 경 | 항상 상	부 언제나, 늘	
0456	3	经过	jīngguò	지날 경 | 지나칠 과	동 경유하다, 통과하다	
0457	4	经济	jīngjì	지날 경 | 많을, 건널 제	명 경제	
0458	4	京剧	jīngjù	서울 경 | 연극 극	명 경극	
0459	3	经理	jīnglǐ	지날, 글 경 | 다스릴 리	명 사장, 지배인	
0460	4	经历	jīnglì	지날 경 | 지낼 력	동 체험하다, 경험하다	
0461	4	经验	jīngyàn	지날 경 | 검증 험	명 경험, 체험	
0462	4	警察	jǐngchá	경계할 경 | 살필 찰	명 경찰	
0463	4	景色	jǐngsè	풍경 경 | 빛 색	명 풍경, 경치	L5
0464	4	竞争	jìngzhēng	다툴 경 | 다툴 쟁	동 경쟁하다	
0465	4	竟然	jìngrán	마침내 경 | 그러할 연	부 뜻밖에도, 의외로	
0466	4	镜子	jìngzi	거울 경 | 접미사 자	명 거울	
0467	4	究竟	jiūjìng	연구할 구 | 마침내 경	부 도대체, 대관절, 결국	
0468	1	九	jiǔ	아홉 구	수 아홉, 9	
0469	3	久	jiǔ	오랠 구	형 오래다, 시간이 길다	
0470	3	旧	jiù	옛 구	형 헐다, 낡다, 오래되다	
0471	2	就	jiù	이룰, 곧 취	부 즉시, 바로, 당장	
0472	4	举	ju	들 거	동 들다	L5
0473	4	举办	jǔbàn	들 거 | 다스릴 판	동 개최하다, 열다	
0474	4	举行	jǔxíng	들 거 | 다닐 행	동 거행하다	L3
0475	3	句子	jùzi	글귀 구 | 접미사 자	명 문장	
0476	4	拒绝	jùjué	막을 거 | 끊을 절	동 거절하다, 거부하다	
0477	4	距离	jùlí	떨어질 거 | 떠날 리	명 거리, 간격	
0478	4	聚会	jùhuì	모일 취 | 모일 회	명 모임, 집회	L5

| 0479 | ② 觉得 | juéde | 깨달을 각 | 얻을 득 | 동 ~라고 여기다, 생각하다 |
| 0480 | ③ 决定 | juédìng | 결단할 결 | 정할 정 | 동 결정하다 |

K

0481	② 咖啡	kāfēi	커피 가	커피 비	명 커피
0482	① 开	kāi	열 개	동 열다, (전자제품을) 켜다
0483	② 开始	kāishǐ	열 개	시작 시	동 시작하다, 개시하다
0484	④ 开玩笑	kāi wánxiào	열 개	희롱할 완	웃을 소	동 농담하다, 놀리다
0485	④ 开心	kāixīn	열 개	마음 심	형 기쁘다, 즐겁다 L5
0486	① 看	kàn	볼 간	동 보다, ~라고 생각하다
0487	④ 看法	kànfǎ	볼 간	법 법	명 견해
0488	① 看见	kànjiàn	볼 간	볼 견	동 보다, 보이다
0489	④ 考虑	kǎolù	생각할 고	생각할 려	동 고려하다, 생각하다
0490	② 考试	kǎoshì	생각할 고	시험 시	명 시험 동 시험을 치다
0491	④ 烤鸭	kǎoyā	구울 고	오리 압	명 오리구이 L5
0492	④ 科学	kēxué	과목 과	배울 학	명 과학
0493	④ 棵	kē	그루 과	양 그루, 포기
0494	④ 咳嗽	késou	기침 해	기침할 수	동 기침하다
0495	③ 可爱	kě'ài	가히 가	사랑 애	형 귀엽다
0496	④ 可怜	kělián	가히 가	불쌍히 여길 련	형 가련하다, 불쌍하다
0497	② 可能	kěnéng	가능할 가	능할 능	형 가능하다 부 가히
0498	④ 可是	kěshì	가능할 가	옳을 시	접 그러나, 하지만, 그렇지만
0499	④ 可惜	kěxī	가히 가	애석할 석	형 섭섭하다, 아십다

번호	급수	한자	병음	훈음	뜻	비고
0500	2	可以	kěyǐ	가히 가 | 써, 할 이	조동 ~할 수 있다(능력, 객관적인 상황), ~해도 된다(허가)	
0501	3	渴	kě	목마를 갈	형 목이 타다, 목마르다	
0502	2	课	kè	수업 과	명 수업, 강의	
0503	3	刻	kè	새길 각	동 새기다	
0504	3	客人	kèrén	손님 객 | 사람 인	명 손님, 고객	
0505	4	客厅	kètīng	손님 객 | 관청 청	명 객실, 응접실	L5
0506	4	肯定	kěndìng	수긍할 긍 | 정할 정	부 인정하다, 긍정하다	
0507	4	空	kōng	빌, 하늘 공	형 텅 비다, (속이) 비다	N
0508	4	空气	kōngqì	빌, 하늘 공 | 기운 기	명 공기	
0509	3	空调	kōngtiáo	빌, 하늘 공 | 고를 조	명 에어컨	
0510	4	恐怕	kǒngpà	두려울 공 | 두려워할 파	부 아마 ~일것이다	
0511	3	口	kǒu	입 구	명 입 양 식구를 세는 양사(단위)	
0512	3	哭	kū	곡할 곡	동 울다	
0513	4	苦	kǔ	쓸, 괴로울 고	형 쓰다, 고생스럽다	
0514	3	裤子	kùzi	바지 고 | 접미사 자	명 바지	
0515	1	块	kuài	덩어리 괴	양 덩이, 조각, (덩어리 • 조각 등을 세는 단위), 위안 (중국의 화폐 단위)	
0516	2	快	kuài	빠를 쾌	형 빠르다	
0517	2	快乐	kuàilè	쾌할 쾌 | 즐거울 락	형 즐겁다, 유쾌하다	
0518	3	筷子	kuàizi	젓가락 쾌 | 접미사 자	명 젓가락	
0519	4	矿泉水	kuàngquánshuǐ	쇳돌 광 | 샘 천 | 물 수	명 광천수, 생수	L5
0520	4	困	kùn	곤할 곤	형 졸리다, 곤란하다	
0521	4	困难	kùnnan	궁할, 지칠 곤 | 어려울 난	명 어려움, 힘들다	

No.		汉字	拼音	训读	뜻	
0522	4	拉	lā	끌, 데려갈 랍	통 끌다, 당기다, 견인하다	
0523	4	垃圾桶	lājītǒng	쓰레기 랍 | 쓰레기 급 | 통 통	명 쓰레기통	
0524	4	辣	là	매울 랄	형 맵다	
0525	1	来	lái	올 래	통 오다	
0526	4	来不及	láibují	올 래 | 아닐 불 | 미칠 급	통 시간이 늦어서 ~하지 못하다	
0527	4	来得及	láidejí	올 래 | 얻을 득 | 미칠 급	통 늦지 않다	
0528	4	来自	láizì	올 래 | 스스로 자	통 ~로부터 오다	L5
0529	3	蓝	lán	남빛, 쪽 람	형 남빛(의), 남색(의)	
0530	4	懒	lǎn	게으를 라	형 게으르다, 나태하다	
0531	4	浪费	làngfèi	물결 랑 | 쓸, 비용 비	통 낭비하다	
0532	4	浪漫	làngmàn	물결 랑 | 넘쳐흐를 만	형 낭만적이다, 로맨틱하다	
0533	3	老	lǎo	늙을 로	형 늙다, 나이가 들다	
0534	4	老虎	lǎohǔ	늙을 로 | 범 호	명 호랑이	
0535	1	老师	lǎoshī	늙을 로 | 스승 사	명 선생님, 스승	
0536	1	了	le	어조사 료	조 동사 뒤에 와서 완료를 나타냄	
0537	2	累	lèi	지칠 루	형 지치다, 피곤하다	
0538	1	冷	lěng	찰 랭	형 춥다	
0539	4	冷静	lěngjìng	찰 랭 | 고요할 정	형 냉정하다, 침착하다	
0540	2	离	lí	떠날 리	조 ~로부터	
0541	3	离开	líkāi	떠날 리 | 열 개	통 떠나다	
0542	1	里	lǐ	안 리	명 가운데, 안쪽, 내부	
0543	4	礼拜天	lǐbàitiān	예절 례 | 절 배 | 하늘 천	명 일요일	L5
0544	4	理发	lǐfà	다스릴 리 | 터럭 발	통 이발하다, 머리를 깎다	
0545	4	理解	lǐjiě	다스릴 리 | 풀 해	통 알다, 이해하다	

0546	④ 礼貌	lǐmào	예절 례	모양 모	명 예의, 예의범절
0547	③ 礼物	lǐwù	예절 례	물건 물	명 선물, 예물
0548	④ 理想	lǐxiǎng	다스릴 리	생각할 상	명 이상 형 이상적이다, 만족스럽다
0549	④ 厉害	lìhai	엄할 려	해칠 해	형 무섭다, 대단하다, 심하다
0550	④ 力气	lìqi	힘 력	기운 기	명 힘
0551	③ 历史	lìshǐ	지낼 력	역사 사	명 역사
0552	④ 例如	lìrú	본보기 례	같을 여	동 예를 들면
0553	④ 俩	liǎ	둘 량	수 둘, 2, 두 사람
0554	④ 连	lián	이을 련	전 ~조차도, ~까지도
0555	④ 联系	liánxì	연이을 련	맬 계	동 연락하다, 연결하다
0556	③ 脸	liǎn	뺨 검	명 얼굴
0557	③ 练习	liànxí	익힐 련	익힐 습	동 연습하다, 익히다
0558	④ 凉快	liángkuai	서늘할 량	상쾌할 쾌	형 시원하다, 서늘하다
0559	② 两	liǎng	두 량	수 둘, 2
0560	③ 辆	liàng	수레 량	양 대, 량
0561	③ 聊天	liáotiān	한담할 료	하늘 천	동 수다를 떨다, 잡담하다, 채팅 **L4**
0562	③ 了解	liǎojiě	마칠 료	풀 해	동 알다, 이해하다
0563	③ 邻居	línjū	이웃 린	살 거	명 이웃집
0564	② 零	líng	영 령	수 영, 0 **L1**
0565	④ 零钱	língqián	영 령	돈 전	명 푼돈, 잔돈 **L5**
0566	④ 另外	lìngwài	따로 령	바깥 외	접 그 밖에, 그 이외에
0567	④ 留	liú	머무를 류	동 남기다
0568	④ 流利	liúlì	흐를 류	날카로울 리	형 막힘이 없다, 유창하다
0569	④ 流行	liúxíng	흐를 류	다닐 행	동 유행하다

0570	③ 留学	liúxué	머무를 류 | 배울 학	통 유학하다	L4
0571	① 六	liù	여섯 육	수 여섯, 6	
0572	③ 楼	lóu	다락 루	명 건물, (건물의) 층	
0573	② 路	lù	길 로	명 길, 도로	
0574	④ 旅行	lǚxíng	여행 려 | 갈 행	통 여행하다	N
0575	② 旅游	lǚyóu	여행할 려 | 노닐 유	통 여행하다, 관광하다	
0576	③ 绿	lǜ	초록빛 록	형 푸르다	
0577	④ 律师	lǜshī	법 률 | 스승 사	명 변호사	
0578	④ 乱	luàn	어지러울 란	형 어지럽다, 혼란하다	

M

0579	① 妈妈	māma	어미 마	명 엄마, 어머니
0580	④ 麻烦	máfan	삼 마 | 괴로워할 번	형 번거롭다, 성가시다 통 폐를 끼치다
0581	③ 马	mǎ	말 마	명 말
0582	④ 马虎	mǎhu	말 마 | 범 호	형 대충하다
0583	③ 马上	mǎshàng	말 마 | 위 상	부 곧, 즉시
0584	① 吗	ma	의문조사 마	조 의문의 어기를 나타냄
0585	① 买	mǎi	살 매	통 사다, 구매하다
0586	② 卖	mài	팔 매	통 팔다, 판매하다
0587	④ 满	mǎn	가득 찰 만	형 가득차다, 가득하다
0588	③ 满意	mǎnyì	가득 찰 만 | 뜻 의	통 만족하다
0589	② 慢	màn	느릴 만	형 느리다
0590	② 忙	máng	바쁠 망	형 바쁘다
0591	① 猫	māo	고양이 묘	명 고양이

0592	4 毛	máo	털모	명 털, 깃, 깃털	L5
0593	4 毛巾	máojīn	털모 | 수건건	명 수건, 타월	
0594	3 帽子	màozi	모자모 | 접미사자	명 모자	
0595	1 没关系	méi guānxi	없을몰 | 빗장관 | 실계	괜찮다, 상관 없다	
0596	1 没有	méiyǒu	없을몰 | 있을유	동 ~보다 ~하지 않다	C
0597	2 每	měi	매양매	대 매, 각, ~마다, 모두	
0598	4 美丽	měilì	아름다울미 | 아름다울려	형 아름답다, 예쁘다	
0599	2 妹妹	mèimei	누이동생매	명 여동생	
0600	2 门	mén	문문	명 문	
0601	4 梦	mèng	꿈몽	명 꿈	
0602	4 迷路	mílù	미혹할미 | 길로	동 길을 잃다	L5
0603	3 米	mǐ	쌀미	명 쌀	
0604	1 米饭	mǐfàn	쌀미 | 밥반	명 쌀밥	
0605	4 密码	mìmǎ	몰래밀 | 셈할마	명 암호, 비밀 번호	
0606	4 免费	miǎnfèi	면할면 | 비용비	동 무료로 하다	
0607	3 面包	miànbāo	밀가루면 | 쌀포	명 빵	
0608	2 面条	miàntiáo	밀가루면 | 가지조	명 국수, 면	L3
0609	4 秒	miǎo	초초	양 초	L5
0610	4 民族	mínzú	백성민 | 겨레족	명 민족	
0611	3 明白	míngbai	밝을명 | 흰백	동 이해하다	
0612	1 明天	míngtiān	밝을명 | 하늘천	명 내일, 명일	
0613	1 名字	míngzi	이름명 | 글자	명 이름, 성명	
0614	4 母亲	mǔqīn	어머니모 | 친할친	명 엄마, 어머니	
0615	4 目的	mùdì	눈목 | 목표적	명 목적	

0616	③ 拿	ná	잡을 나	통 쥐다, 잡다, 가지다	
0617	① 哪	nǎ	어찌 나	대 어느, 어떤	C
0618	① 哪儿	nǎr	어찌 나 | 아이 아	대 어디, 어느 곳	N
0619	① 那	nà(nàr)	그 나	대 그, 저, 그곳, 저곳	C
0620	③ 奶奶	nǎinai	젖, 유모 내	명 할머니	
0621	④ 耐心	nàixīn	견딜 내 | 마음 심	명 인내심 형 인내심이 있다	
0622	② 男	nán	사내 남	명 남자	C
0623	③ 南	nán	남녘 남	명 남, 남쪽	
0624	③ 难	nán	어려울 난	형 어렵다, 힘들다, 곤란하다	
0625	④ 难道	nándào	어려울 난 | 길 도	부 설마 ~란 말인가? 설마 ~하겠는가?	
0626	③ 难过	nánguò	어려울 난 | 지나칠 과	형 괴롭다, 슬프다	
0627	④ 难受	nánshòu	어려울 난 | 받을 수	형 몸이 불편하다, 견디기 힘들다	
0628	① 呢	ne	소곤거릴 니	조 의문, 진행을 나타냄	
0629	④ 内	nèi	안 내	명 안, 속, 내부	
0630	④ 内容	nèiróng	안 내 | 받아들일 용	명 내용	
0631	① 能	néng	능할 능	조동 ~할 수 있다	
0632	④ 能力	nénglì	능할 능 | 힘 력	명 능력	
0633	① 你	nǐ	당신 니	대 너, 당신	
0634	① 年	nián	해 년	양 년, 해	
0635	③ 年级	niánjí	해 년 | 등급 급	명 학년	
0636	④ 年龄	niánlíng	해 년 | 나이 령	명 연령	
0637	③ 年轻	niánqīng	해 년 | 가벼울 경	형 (나이가) 젊다, 어리다	
0638	③ 鸟	niǎo	새 조	명 새	
0639	② 您	nín	너 이	대 당신[존칭]	

0640	② 牛奶	niúnǎi	소 우 | 젖, 유모 내	뗑 우유
0641	④ 弄	nòng	희롱할 롱	통 하다, 행하다, 만들다
0642	③ 努力	nǔlì	힘쓸 노 | 힘 력	통 노력하다
0643	② 女	nǚ	계집 녀	뗑 여자
0644	① 女儿	nǚ'ér	계집 녀 | 아이 아	뗑 딸
0645	④ 暖和	nuǎnhuo	따뜻할 난 | 따뜻할 화	혱 따뜻하다, 따사롭다

O

| 0646 | ④ 偶尔 | ǒu'ěr | 짝 우 \| 어조사 이 | 튀 때때로, 가끔 |

P

0647	③ 爬山	páshān	기어오를 파 | 뫼 산	통 등산하다
0648	④ 排队	páiduì	줄 배 | 무리 대	통 줄을 서다
0649	④ 排列	páiliè	늘어설 배 | 줄지을 렬	통 배열하다, 정렬하다
0650	③ 盘子	pánzi	소반 반 | 접미사 자	뗑 쟁반, 접시
0651	④ 判断	pànduàn	판단할 판 | 끊을 단	통 판단하다, 판정하다
0652	② 旁边	pángbiān	곁 방 | 가 변	뗑 옆, 곁
0653	③ 胖	pàng	살찔 반	혱 뚱뚱하다
0654	② 跑步	pǎobù	달릴 포 | 걸음 보	통 달리다, 조깅하다, 구보하다
0655	④ 陪	péi	모실 배	통 모시다, 동반하다
0656	① 朋友	péngyou	벗 붕 | 벗 우	뗑 친구
0657	④ 批评	pīpíng	비평할 비 | 평할 평	통 비판하다, 지적하다
0658	④ 皮肤	pífū	가죽 피 | 살갗 부	뗑 피부
0659	③ 啤酒	píjiǔ	맥주 비 | 술 주	뗑 맥주

0660	④ 脾气	píqì	비장 비 | 기운 기	몡 성격, 기질, 화	
0661	③ 皮鞋	píxié	가죽 피 | 신 혜	몡 가죽 구두	**L5**
0662	④ 篇	piān	책 편	먕 편(문장을 세는 양사)	
0663	② 便宜	piányi	편할 편 | 마땅할 의	혱 값이 싸다	
0664	④ 骗	piàn	속일 편	됭 속이다, 기만하다	
0665	② 票	piào	쪽지 표	몡 표	
0666	① 漂亮	piàoliang	떠다닐 표 | 밝을 량	혱 예쁘다, 아름답다	
0667	④ 乒乓球	pīngpāngqiú	물건 부딪치는 소리 핑 | 물건 부딪치는 소리 팡 | 공 구	몡 탁구	
0668	④ 平时	píngshí	평평할 평 | 때 시	몡 평소, 평상시	
0669	① 苹果	píngguǒ	사과 평 | 과실 과	몡 사과	
0670	③ 瓶子	píngzi	병 병 | 접미사 자	몡 병	**L4**
0671	④ 破	pò	깨질 파	됭 파손되다, 찢어지다	
0672	④ 葡萄	pútao	포도나무 포 | 포도나무 도	몡 포도	**L3**
0673	④ 普遍	pǔbiàn	넓을 보 | 두루 편	혱 보편적인, 일반적인	
0674	④ 普通话	pǔtōnghuà	넓을 보 | 통할 통 | 말씀 화	몡 현대 중국 표준어	**L3**

Q

0675	① 七	qī	일곱 칠	쉬 일곱, 7	
0676	② 妻子	qīzi	아내 처 | 접미사 자	몡 아내	
0677	③ 骑	qí	말 탈 기	됭 타다	
0678	④ 其次	qícì	그 기 | 버금, 다음 차	댸 순서상으로 부차적인 것, 그 다음	
0679	③ 其实	qíshí	그 기 | 열매, 사실 실	붱 실제는, 사실은, 사실	

0680	③ 其他	qítā	그 기 | 다를 타	때 기타, 그 외	
0682	④ 其中	qízhōng	그 기 | 가운데 중	때 그중에, 그 안에	
0683	③ 奇怪	qíguài	신기할 기 | 괴이할 괴	형 이상하다, 괴이하다	
0684	② 起床	qǐchuáng	일어설 기 | 침대 상	통 잠자리에서 일어나다	
0685	③ 起飞	qǐfēi	일어설 기 | 날 비	통 이륙하다	**L4**
0685	③ 起来	qǐlái	일어설 기 | 올 래	통 일어나다	**L4**
0686	④ 气候	qìhòu	기운 기 | 기후 후	명 기후	
0687	② 千	qiān	일천 천	수 천, 1000	
0688	② 铅笔	qiānbǐ	납 연 | 붓 필	명 연필	**L3**
0689	④ 千万	qiānwàn	일천 천 | 일만 만	부 부디, 제발, 절대	
0690	④ 签证	qiānzhèng	이름 둘 첨 | 증명할 증	명 비자, 사증	
0691	① 钱	qián	돈 전	명 돈	
0692	① 前面	qiánmiàn	앞 전 | 얼굴 면	명 앞	
0693	④ 敲	qiāo	두드릴 고	통 두드리다, 노크하다	
0694	④ 桥	qiáo	다리 교	명 다리, 교량	
0695	④ 巧克力	qiǎokèlì	공교할 교 | 이길 극 | 힘 력	명 초콜릿	
0696	④ 亲戚	qīnqi	친할 친 | 겨레 척	명 친척	
0697	④ 轻	qīng	가벼울 경	형 가볍다	
0698	③ 清楚	qīngchu	맑을 청 | 뚜렷할 초	형 분명하다, 뚜렷하다	
0699	④ 轻松	qīngsōng	가벼울 경 | 풀 송	형 수월하다, 부담이 없다	
0700	② 晴	qíng	갤 청	형 하늘이 맑다	
0701	④ 情况	qíngkuàng	뜻 정 | 상황, 하물며 황	명 상황, 정황, 형편, 사정	
0702	① 请	qǐng	청할 청	통 청하다, 부탁하다	
0703	③ 请假	qǐngjià	청할 청 | 휴가 가	통 휴가를 신청하다	**L4**
0704	④ 穷	qióng	다할, 궁구할 궁	형 빈곤하다, 궁하다, 가난하다	

0705	③ 秋	qiū	가을 추	명 가을
0706	④ 区别	qūbié	지역 구 | 다를 별	명 구별, 차이
0707	④ 取	qǔ	취할 취	동 취하다, 받다
0708	① 去	qù	갈 거	동 가다
0709	② 去年	qùnián	갈 거 | 해 년	명 작년
0710	④ 全部	quánbù	온전할 전 | 떼 부	명 전부, 전체, 모두
0711	④ 缺点	quēdiǎn	모자랄 결 | 점 점	명 결점, 단점
0712	④ 缺少	quēshǎo	모자랄 결 | 적을 소	동 부족하다, 모자라다
0713	④ 却	què	물리칠 각	부 오히려, 도리어
0714	④ 确实	quèshí	정확할 확 | 갖출 실	부 확실히, 틀림없이, 정말로
0715	③ 裙子	qúnzi	치마 군 | 접미사 자	명 치마, 스커트

R

0716	④ 然而	rán'ér	그러할 연 | 말 이을 이	접 그러나, 하지만, 그렇지만
0717	③ 然后	ránhòu	그러할 연 | 뒤 후	접 그런 후에, 그 다음에
0718	② 让	ràng	사양할 양	동 ~에게 ~하게 시키다
0719	① 热	rè	더울 열	형 덥다, 뜨겁다
0720	④ 热闹	rènao	더울 열 | 시끄러울 뇨	형 번화하다, 북적거리다
0721	③ 热情	rèqíng	더울 열 | 뜻 정	형 열정적이다, 친절하다
0722	① 人	rén	사람 인	명 사람, 인간
0723	④ 任何	rènhé	맡길 임 | 어찌 하	대 어떠한
0724	③ 认为	rènwéi	알 인 | 행할 위	동 ~라고 여기다, ~라고 생각하다
0725	④ 任务	rènwu	맡길 임 | 힘쓸 무	명 임무
0726	① 认识	rènshi	알 인 | 알 식	동 알다, 인식하다
0727	③ 认真	rènzhēn	알 인 | 참 진	형 진지하다, 착실하다

0728	④ 扔	rēng	당길, 버릴 잉	통 던지다	
0729	④ 仍然	réngrán	그대로 잉 | 그러할 연	부 변함없이, 여전히	
0730	② 日	rì	날 일	명 일, 날	L1
0731	④ 日记	rìjì	날 일 | 기억할 기	명 일기	
0732	③ 容易	róngyì	받아들일 용 | 쉬울 이	형 쉽다	
0733	③ 如果	rúguǒ	같을 여 | 결과 과	접 만약	
0734	④ 入口	rùkǒu	들 입 | 입 구	명 입구	

S

0735	① 三	sān	석 삼	수 셋, 3	
0736	③ 伞	sǎn	우산 산	명 우산	
0737	④ 散步	sànbù	흩어질 산 | 걸음 보	통 산보하다, 산책하다	
0738	④ 森林	sēnlín	나무 빽빽할 삼 | 수풀 림	명 삼림, 숲	
0739	④ 沙发	shāfā	모래 사 | 쏠 발	명 소파	
0740	① 商店	shāngdiàn	장사, 헤아릴 상 | 상점 점	명 상점	
0741	④ 商量	shāngliang	장사, 헤아릴 상 | 헤아릴 량	통 상의하다, 의논하다, 협의하다	
0742	④ 伤心	shāngxīn	다칠 상 | 마음 심	통 상심하다, 슬퍼하다	
0743	① 上	shàng	위 상	명 위	
0744	② 上班	shàngbān	위 상 | 나눌 반	통 출근하다	
0745	③ 上网	shàngwǎng	위 상 | 그물 망	통 인터넷을 하다	
0746	① 上午	shàngwǔ	위 상 | 낮 오	명 오전	
0747	④ 稍微	shāowēi	작을 초 | 작을 미	부 조금, 약간	
0748	④ 勺子	sháozi	국자 작 | 접미사 자	명 국자, 수저	L5
0749	① 少	shǎo	적을 소	형 적다, 부족하다	
0750	④ 社会	shèhuì	단체 사 | 모일 회	명 사회	

0751	① 谁	shéi	누구 수	때 누구, 누가	
0752	④ 申请	shēnqǐng	밝힐 신 | 청할 청	통 신청하다	
0753	② 身体	shēntǐ	몸 신 | 몸 체	명 몸, 신체	
0754	④ 深	shēn	깊을 심	형 깊다	
0755	① 什么	shénme	무엇 십 | 그런가 마	때 어떤, 무슨, 무엇	
0756	④ 甚至	shènzhì	심할 심 | 이를 지	부 심지어, ~까지도	
0757	② 生病	shēngbìng	날 생 | 병 병	통 병이 나다	
0758	④ 生活	shēnghuó	날 생 | 살 활	명 생활	
0759	④ 生命	shēngmìng	날 생 | 목숨 명	명 생명	
0760	③ 生气	shēngqì	날 생 | 기운 기	통 화내다	
0761	② 生日	shēngrì	날 생 | 날 일	명 생일	
0762	④ 生意	shēngyi	날 생 | 뜻 의	명 장사, 영업, 비즈니스	C
0763	③ 声音	shēngyīn	소리 성 | 소리 음	명 소리, 목소리	
0764	④ 省	shěng	덜, 줄일 생	통 절약하다	
0765	④ 剩	shèng	남을 잉	통 남다	
0766	④ 失败	shībài	잃을 실 | 질 패	통 실패하다, 패배하다	
0767	④ 师傅	shīfu	스승 사 | 스승 부	명 스승, 사부(기술, 기예가 뛰어 난 사람에 대한 존칭), 선생님	
0768	④ 失望	shīwàng	잃을 실 | 바라볼 망	통 실망하다	
0769	① 十	shí	열 십	수 열, 10	
0770	④ 十分	shífēn	열 십 | 나눌 분	부 매우, 아주	
0771	① 时候	shíhou	때 시 | 기다릴 후	명 때, 시각	
0772	④ 实际	shíjì	실제 실 | 즈음 제	형 실제적이다, 현실적인	
0773	② 时间	shíjiān	때 시 | 사이 간	명 시간	
0774	④ 实在	shízài	실제 실 | 있을 재	부 확실히, 정말, 참으로	

0775	4	使	shǐ	부릴 사	동 (~에게) ~시키다, ~하게 하다 **L3**
0776	4	使用	shǐyòng	부릴 사 | 쓸 용	동 사용하다, 쓰다
0777	3	试	shì	시험할 시	동 시험삼아 해 보다, 시험하다 **L4**
0778	1	是	shì	옳을 시	동 ~이다
0779	4	是否	shìfǒu	옳을 시 | 아닐 부	부 ~인지 아닌지 **L5**
0780	4	适合	shìhé	맞을 적 | 합할 합	동 적합하다, 부합하다
0781	4	世纪	shìjì	세상 세 | 실마리 기	명 세기
0782	3	世界	shìjiè	세상 세 | 지경 계	명 세계
0783	2	事情	shìqing	일 사 | 뜻 정	명 일, 사건
0784	4	适应	shìyìng	맞을 적 | 응당 응	동 적응하다
0785	4	收	shōu	거둘 수	동 받다, 받아들이다
0786	4	收入	shōurù	거둘 수 | 들 입	명 수입, 소득
0787	4	收拾	shōushi	거둘 수 | 주을 습	동 정리하다, 치우다
0788	2	手表	shǒubiǎo	손 수 | 겉, 시계 표	명 손목시계
0789	4	首都	shǒudū	머리 수 | 도읍 도	명 수도
0790	2	手机	shǒujī	손 수 | 기계 기	명 휴대전화
0791	4	首先	shǒuxiān	머리 수 | 먼저 선	부 가장 먼저
0792	1	书	shū	글, 문장 서	명 책
0793	4	受不了	shòubuliǎo	받을 수 | 아닐 불 | 어조사 료	견딜 수 없다, 참을 수 없다
0794	4	受到	shòudào	받을 수 | 이를 도	동 (환영, 칭찬, 도움)을 받다
0795	4	售货员	shòuhuòyuán	팔 수 | 재화 화 | 인원 원	명 판매원, 점원
0796	3	瘦	shòu	여윌 수	형 마르다, 여위다
0797	4	输	shū	나를, 질 수	동 (승부에서) 지다, 패배하다
0798	3	舒服	shūfu	펼 서 | 옷 복	형 편안하다

0799	③	叔叔	shūshu	숙부 숙	명 숙부, 작은아버지, 삼촌
0800	④	熟悉	shúxī	익을 숙 | 모두, 다 실	형 잘 알다, 익숙하다
0801	③	树	shù	나무 수	명 나무, 수목
0802	④	数量	shùliàng	셈 수 | 잴, 헤아릴 량	명 수량, 양
0803	③	数学	shùxué	셈 수 | 배울 학	명 수학
0804	④	数字	shùzì	셈 수 | 글 자	명 숫자
0805	③	刷牙	shuāyá	닦을 쇄 | 어금니 아	동 이를 닦다
0806	④	帅	shuài	장수 수	형 잘생기다, 멋지다
0807	③	双	shuāng	쌍 쌍	양 짝, 켤레, 쌍
0808	①	水	shuǐ	물 수	명 물
0809	①	水果	shuǐguǒ	물 수 | 과실 과	명 과일, 과실
0810	③	水平	shuǐpíng	물 수 | 바를 평	명 수준
0811	①	睡觉	shuìjiào	잠잘 수 | 깰 교, 깨달을 각	동 자다, 잠자다
0812	④	顺便	shùnbiàn	따를 순 | 편할 편	부 ~하는 김에
0813	④	顺利	shùnlì	따를 순 | 이로울 리	형 순조롭다
0814	④	顺序	shùnxù	따를 순 | 차례 서	명 순서, 차례
0815	①	说	shuō	말씀 설	동 말하다, 이야기하다 **Ⓝ**
0816	②	说话	shuōhuà	말씀 설 | 말씀 화	동 말하다 **L1**
0817	④	说明	shuōmíng	말씀 설 | 밝을 명	동 설명하다, 해설하다
0818	④	硕士	shuòshì	클 석 | 선비 사	명 석사
0819	③	司机	sījī	맡을 사 | 기계 기	명 기사, 운전사
0820	④	死	sǐ	죽을 사	동 죽다
0821	①	四	sì	넉 사	수 넷, 4
0822	②	送	sòng	보낼 송	동 배웅하다, 보내다, 선물 주다
0823	④	速度	sùdù	빠를 속 | 법도 도	명 속도
0824	④	塑料袋	sùliàodài	빚을 소 | 재료 료 | 자루 대	명 비닐 봉투

No.		중국어	병음	한자 뜻/음	품사	뜻	
0825	4	酸	suān	초, 신맛 산	형	시다	
0826	2	虽然…但是…	suīrán…dànshì…	비록 수 | 그러할 연 | 다만 단 | 옳을 시	접	비록 ~하지만 ~하다	C
0827	4	随便	suíbiàn	따를 수 | 편할 편	부 동	마음대로, 좋을 대로 / 마음대로 하다	
0828	4	随着	suízhe	따를 수 | 어조사 착	전	~함에 따라서	
0829	1	岁	suì	나이 세	명	나이, (몇)살	
0830	4	孙子	sūnzi	손자 손 | 접미사 자	명	손자	
0831	4	所有	suǒyǒu	바 소 | 있을 유	형	모든, 전부의	

T

No.		중국어	병음	한자 뜻/음	품사	뜻	
0832	1	他	tā	남 타	대	그, 그 사람	
0833	2	它	tā	그것 타	대	그, 저, 그것, 저것(사람 이외의 것)	
0834	1	她	tā	그녀 타	대	그녀, 그 여자	
0835	4	台	tái	별 태, 대 대	양	대(기계·전자제품 등을 세는)	
0836	4	抬	tái	들 대	동	들어올리다	
0837	1	太	tài	클, 심히 태	부	대단히, 매우	
0838	4	态度	tàidu	모양 태 | 법도 도	명	태도	
0839	3	太阳	tàiyáng	클 태 | 볕 양	명	태양, 해	
0840	4	谈	tán	말씀 담	동	이야기하다	
0841	4	弹钢琴	tán gāngqín	탈 탄 | 강철 강 | 거문고 금	동	피아노를 치다	
0842	4	汤	tāng	끓일 탕	명	국, 탕	
0843	4	糖	táng	엿 당, 사탕 탕	명	설탕, 사탕	L3
0844	4	躺	tǎng	누울 당	동	눕다, 드러눕다	

번호	급수	단어	병음	훈음	뜻
0845	4	趟	tàng	뛸 쟁	양 차례, 번(왕복의 의미)
0846	4	讨论	tǎolùn	칠 토 ǀ 논할 론	동 토론하다
0847	4	讨厌	tǎoyàn	칠 토 ǀ 싫어할 염	동 싫어하다, 미워하다
0848	3	特别	tèbié	특히 특 ǀ 다를 별	부 특별히, 매우, 아주 형 특별하다
0849	4	特点	tèdiǎn	특히 특 ǀ 점 점	명 특색, 특징
0850	3	疼	téng	아플 동	형 아프다
0851	2	踢足球	tī zúqiú	찰 척 ǀ 발 족 ǀ 공 구	동 축구를 하다
0852	2	题	tí	표제 제	명 문제
0853	4	提	tí	들 제	동 끌어올리다 **L5**
0854	3	提高	tígāo	들 제 ǀ 높을 고	동 (수준, 품질, 성적을) 향상시키다
0855	4	提供	tígōng	들 제 ǀ 이바지할 공	동 제공하다, 공급하다
0856	4	提前	tíqián	들 제 ǀ 앞 전	동 (예정보다 시간을) 앞당기다
0857	4	提醒	tíxǐng	들 제 ǀ 깰 성	동 일깨우다, 알리다
0858	3	体育	tǐyù	몸 체 ǀ 기를 육	명 체육
0859	1	天气	tiānqì	하늘 천 ǀ 기운 기	명 날씨, 일기
0860	3	甜	tián	달 첨	형 달다, 달콤하다
0861	4	填空	tiánkòng	메울 전 ǀ 빌, 구멍 공	동 빈 칸에 써 넣다
0862	3	条	tiáo	가지 조	양 가늘고 긴 것을 세는 단위
0863	4	条件	tiáojiàn	가지 조 ǀ 사건 건	명 조건
0864	2	跳舞	tiàowǔ	뛸 도 ǀ 춤출 무	동 춤을 추다
0865	1	听	tīng	들을 청	동 듣다
0866	4	停	tíng	멈출 정	동 멈추다, 중지하다 **C**
0867	4	挺	tǐng	곧을 정	부 상당히, 대단히
0868	4	通过	tōngguò	통할 통 ǀ 지날 과	동 건너가다, 통과하다
0869	4	通知	tōngzhī	통할 통 ǀ 알 지	명 통지 동 통지하다

0870	④ 同情	tóngqíng	같을 동 | 뜻 정	명 동정 동 동정하다
0871	④ 同时	tóngshí	같을 동 | 때 시	명 동시, 같은 시간 **L5**
0872	③ 同事	tóngshì	같을 동 | 일 사	명 직장, 동료
0873	① 同学	tóngxué	같을 동 | 배울 학	명 동창, 학우, 학교 친구
0874	③ 同意	tóngyì	같을 동 | 뜻 의	동 동의하다
0875	③ 头发	tóufa	머리 두 | 터럭 발	명 머리카락, 머리털
0876	③ 突然	tūrán	갑자기 돌 | 그러할 연	부 갑자기, 돌연히 형 갑작스럽다
0877	③ 图书馆	túshūguǎn	그림 도 | 글 서 | 묶을 관	명 도서관
0878	④ 推	tuī	밀 추	동 밀다
0879	④ 推迟	tuīchí	밀 추 | 더딜 지	동 연기하다, 늦추다
0880	③ 腿	tuǐ	넓적다리 퇴	명 다리
0881	④ 脱	tuō	벗을 탈	동 몸에서 벗다

W

0882	④ 袜子	wàzi	양말, 버선 말	명 양말
0883	② 外	wài	바깥 외	명 밖, 바깥
0884	② 完	wán	완전할 완	동 마치다, 끝나다
0885	② 玩	wán	희롱할, 놀 완	동 놀다, 놀이하다
0886	③ 完成	wánchéng	완전할 완 | 이룰 성	동 완성하다, 끝마치다
0887	④ 完全	wánquán	완전할 완 | 온전할 전	부 완전히 형 완전하다
0888	③ 碗	wǎn	주발 완	명 그릇 양 그릇
0889	② 晚上	wǎnshang	해질 만 | 위 상	명 저녁
0890	③ 万	wàn	일만 만	수 만, 10000
0891	② 往	wǎng	갈 왕	전 ~로 향하여 **L4**

0892	④ 网球	wǎngqiú	그물 망	공 구	명 테니스
0893	④ 往往	wǎngwǎng	갈 왕	갈 왕	부 종종, 자주
0894	④ 网站	wǎngzhàn	그물 망	역 참	명 웹사이트, 홈페이지
0895	③ 忘记	wàngjì	잊을 망	기억할 기	동 잊다
0896	④ 危险	wēixiǎn	위태할 위	험할 험	형 위험하다
0897	③ 为	wèi	위할 위		전 ~을(를) 위하여, ~때문에
0898	③ 为了	wèile	위할 위	어조사 료	전 ~을(를) 하기 위하여, ~을(를) 위하여
0899	② 为什么	wèishénme	위할 위	열 사람 십	그런가 마	대 왜, 어째서
0900	④ 卫生间	wèishēngjiān	지킬 위	날 생	사이 간	명 화장실 **L5**
0901	① 喂	wèi	부르는 소리 외, 먹일 위	감 야, 이봐, 여보세요
0902	③ 位	wèi	자리 위	양 분, 명(사람을 세는 단위)
0903	④ 味道	wèidao	맛 미	길 도	명 맛, 냄새
0904	④ 温度	wēndù	따뜻할 온	온도 도	명 온도
0905	③ 文化	wénhuà	글월 문	화할 화	명 문화
0906	④ 文章	wénzhāng	글월 문	글 장	명 글, 문장
0907	② 问	wèn	물을 문	동 묻다, 질문하다
0908	② 问题	wèntí	물을 문	표제 제	명 문제, 질문
0909	① 我	wǒ	나 아	대 나, 저
0910	① 我们	wǒmen	나 아	들 문	대 우리
0911	④ 污染	wūrǎn	더러울 오	물들일 염	동 오염시키다, 오염되다 명 오염
0912	④ 无	wú	없을 무	동 없다, ~이 아니다
0913	④ 无聊	wúliáo	없을 무	즐길 료	형 심심하다, 무료하다
0914	④ 无论	wúlùn	없을 무	논할 론	접 ~에 관계 없이

| 0915 | ① 五 | wǔ | 다섯 오 | 쥐 다섯, 5 |
| 0916 | ④ 误会 | wùhuì | 그릇될 오 \| 모일 회 | 통 오해하다　명 오해 |

X

0917	③ 西	xī	서녘 서	명 서쪽
0918	② 西瓜	xīguā	서녘 서 | 오이 과	명 수박
0919	④ 西红柿	xīhóngshì	서녘 서 | 붉을 홍 | 감나무 시	명 토마토
0920	② 希望	xīwàng	바랄 희 | 바라볼 망	명 희망　통 희망하다, 바라다
0921	④ 吸引	xīyǐn	숨 들이쉴 흡 | 당길 인	통 흡인하다, 빨아당기다, 매료시키다
0922	③ 习惯	xíguàn	배울 습 | 익숙할 관	명 버릇, 습관 통 습관이 되다, 버릇이 들다
0923	② 洗	xǐ	씻을 세	통 씻다, 빨다
0924	① 喜欢	xǐhuan	기쁠 희 | 기뻐할 환	통 좋아하다
0925	③ 洗手间	xǐshǒujiān	씻을 세 | 손 수 | 사이 간	명 화장실
0926	③ 洗澡	xǐzǎo	씻을 세 | 목욕할 조	통 목욕하다, 몸을 씻다
0927	① 下	xià	아래 하	명 밑, 아래　통 (눈, 비가)내리다, (일, 수업이) 끝나다
0928	③ 夏	xià	여름 하	명 여름
0929	① 下午	xiàwǔ	아래 하 | 낮 오	명 오후
0930	① 下雨	xiàyǔ	아래 하 | 비 우	통 비가 오다
0931	③ 先	xiān	먼저 선	부 먼저
0932	① 先生	xiānsheng	먼저 선 | 날 생	명 ~씨, 미스터~ (성인 남성에 대한 호칭)
0933	④ 咸	xián	소금기 함	형 짜다

0934	④ 现金	xiànjīn	지금 현 | 쇠 금	명 현금	L5
0935	④ 羡慕	xiànmù	부러워할 선 | 사모할 모	동 흠모하다, 부러워하다	
0936	① 现在	xiànzài	지금 현 | 있을 재	명 현재, 이제	
0937	④ 香	xiāng	향기 향	형 향기롭다, 맛이 좋다	
0938	④ 相反	xiāngfǎn	서로 상 | 돌이킬 반	형 상반되다, 반대되다	
0939	③ 香蕉	xiāngjiāo	향기 향 | 파초 초	명 바나나	
0940	④ 相同	xiāngtóng	서로 상 | 같을 동	형 서로 같다, 일치하다	L3
0941	③ 相信	xiāngxìn	서로 상 | 믿을 신	동 믿다, 신임하다	
0942	④ 详细	xiángxì	자세할 상 | 자세할 세	형 상세하다, 자세하다	
0943	④ 响	xiǎng	울림 향	동 울리다, 소리가 나다	
0944	① 想	xiǎng	생각 상	동 생각하다 조동 ~할 생각이다	
0945	③ 向	xiàng	향할 향	전 ~로, ~을(를) 향하여	L2
0946	③ 像	xiàng	닮을 상	동 같다, 비슷하다, 닮다	
0947	④ 橡皮	xiàngpí	상수리나무 상 | 가죽 피	명 지우개	L5
0948	④ 消息	xiāoxi	사라질 소 | 그칠, 쉴 식	명 소식, 정보	
0949	① 小	xiǎo	작을 소	형 작다, 어리다	
0950	④ 小吃	xiǎochī	작을 소 | 먹을 흘	명 간단한 먹을거리	L5
0951	④ 小伙子	xiǎohuǒzi	작을 소 | 동아리, 화반 화 | 접미사 자	명 젊은청년, 총각	L5
0952	① 小姐	xiǎojiě	작을 소 | 계집아이 저	명 아가씨	
0953	② 小时	xiǎoshí	작을 소 | 때 시	명 시간(~동안)	
0954	④ 小说	xiǎoshuō	작을 소 | 말씀 설	명 소설	
0955	③ 小心	xiǎoxīn	작을 소 | 마음 심	동 조심하다	
0956	③ 校长	xiàozhǎng	학교 교 | 어른 장	명 학교장, 교장	
0957	② 笑	xiào	웃을 소	동 웃다	
0958	④ 笑话	xiàohua	웃을 소 | 이야기 화	명 우스운 이야기 동 비웃다	

번호	급수	단어	병음	훈음	뜻
0959	4	效果	xiàoguǒ	효과 효 | 열매 과	뗑 효과
0960	1	些	xiē	적을 사	양 조금, 약간
0961	1	写	xiě	베낄 사	동 글씨를 쓰다
0962	1	谢谢	xièxie	사례할, 사양할 사	동 감사하다, 고맙다
0963	4	心情	xīnqíng	마음 심 | 뜻 정	뗑 심정, 기분
0964	2	新	xīn	처음 신	혱 새롭다
0965	4	辛苦	xīnkǔ	괴로울 신 | 쓸 고	혱 고생스럽다, 수고스럽다
0966	3	新闻	xīnwén	처음 신 | 들을, 알릴 문	뗑 뉴스
0967	3	新鲜	xīnxiān	처음 신 | 고울, 생선 선	혱 신선하다, 싱싱하다
0968	4	信封	xìnfēng	믿을 신 | 봉할 봉	뗑 편지봉투 L5
0969	4	信息	xìnxī	믿을 신 | 쉴 식	뗑 정보, 소식 L5
0970	4	信心	xìnxīn	믿을 신 | 마음 심	뗑 자신감, 믿음
0971	3	信用卡	xìnyòngkǎ	믿을 신 | 쓸 용 | 음역자 가	뗑 신용 카드 L4
0972	4	兴奋	xīngfèn	기뻐할 흥 | 떨칠 분	혱 흥분하다, 감격하다, 기쁘다
0973	1	星期	xīngqī	별 성 | 기간 기	뗑 주, 요일
0974	4	行	xíng	행할 행	혱 좋다, 되다, 괜찮다
0975	3	行李箱	xínglixiāng	행할 행 | 다스릴 리 | 상자 상	뗑 짐가방, 여행용 가방
0976	4	醒	xǐng	깰 성	동 잠에서 깨다
0977	2	姓	xìng	성씨 성	뗑 성, 성씨 동 성이 ~이다
0978	4	性别	xìngbié	성품 성 | 다를 별	뗑 성별
0979	4	幸福	xìngfú	행복 행 | 복 복	혱 행복하다
0980	4	性格	xìnggé	성품 성 | 바로잡을 격	뗑 성격
0981	3	熊猫	xióngmāo	곰 웅 | 고양이 묘	뗑 판다
0982	4	修理	xiūlǐ	길, 닦을 수 | 다스릴 리	동 수리하다, 고치다 L6
0983	2	休息	xiūxi	쉴 휴 | 쉴 식	동 휴식하다, 쉬다

0984	③	需要	xūyào	구할 수 | 구할 요	통 필요하다	
0985	④	许多	xǔduō	허락할 허 | 많을 다	형 매우 많다	
0986	③	选择	xuǎnzé	가릴 선 | 선택할 택	통 고르다, 선택하다	
0987	④	学期	xuéqī	배울 학 | 기약할 기	명 학기	L5
0988	①	学生	xuésheng	배울 학 | 날 생	명 학생	
0989	①	学习	xuéxí	배울 학 | 배울 습	통 공부하다, 배우다 명 공부, 학습	
0990	①	学校	xuéxiào	배울 학 | 학교 교	명 학교	
0991	②	雪	xuě	눈 설	명 눈	

Y

0992	④	呀	ya	입 딱 벌릴 아, 하	감 [놀람을 나타냄] 아! 야!	
0993	④	压力	yālì	누를 압 | 힘 력	명 압력, 스트레스	
0994	④	牙膏	yágāo	어금니 아 | 기름 고	명 치약	
0995	④	亚洲	Yàzhōu	버금 아 | 대륙 주	고유 아시아	
0996	④	盐	yán	소금 염	명 소금	
0997	④	严格	yángé	엄할 엄 | 바로잡을 격	형 엄격하다, 엄하다	
0998	④	研究	yánjiū	갈 연 | 연구할 구	통 연구하다	C
0999	②	颜色	yánsè	얼굴 안 | 빛 색	명 색, 색깔	
1000	④	严重	yánzhòng	엄할 엄 | 무거울 중	형 심각하다	
1001	④	演出	yǎnchū	펼 연 | 날 출	통 공연하다	
1002	④	眼镜	yǎnjìng	눈 안 | 거울 경	명 안경	L3
1003	②	眼睛	yǎnjing	눈 안 | 눈동자 정	명 눈	
1004	④	演员	yǎnyuán	펼 연 | 인원 원	명 배우, 연기자	
1005	④	阳光	yángguāng	볕 양 | 빛 광	명 햇빛	

번호	급	단어	병음	훈음	뜻
1006	②	羊肉	yángròu	양 양 | 고기 육	명 양고기
1007	④	养成	yǎngchéng	기를 양 | 이룰 성	동 기르다, 양성하다, 형성하다
1008	④	样子	yàngzi	모양 양 | 접미사 자	명 모양, 모습
1009	③	要求	yāoqiú	구할 요 | 구할 구	동 요구하다
1010	④	邀请	yāoqǐng	맞이할 요 | 청할 청	동 초청하다
1011	②	药	yào	약물 약	명 약, 약물
1012	②	要	yào	구할 요	동 요구하다, 청구하다 조동 ~하려고 하다
1013	④	要是	yàoshi	바랄 요 | 이 시	접 만약 ~이라면 L5
1014	④	钥匙	yàoshi	자물쇠 약 | 숟가락 시	명 열쇠
1015	③	爷爷	yéye	아비 야	명 할아버지
1016	②	也	yě	어조사 야	부 ~도
1017	④	也许	yěxǔ	어조사 야 | 허락할 허	부 어쩌면, 아마도
1018	④	页	yè	쪽, 페이지 엽	양 쪽, 페이지
1019	④	叶子	yèzi	잎 엽 | 접미사 자	명 잎
1020	①	一	yī	한 일	수 하나, 1
1021	①	衣服	yīfu	옷 의 | 옷 복	명 옷, 의복
1022	①	医生	yīshēng	의원 의 | 날 생	명 의사
1023	①	医院	yīyuàn	의원 의 | 담 원	명 병원
1024	③	一定	yídìng	한 일 | 정할 정	부 반드시, 꼭 형 어느 정도의, 상당한 N
1025	③	一共	yígòng	한 일 | 함께, 합할 공	부 모두, 전부, 합계
1026	③	一会儿	yíhuìr	한 일 | 모일 회 | 아이 아	양 잠시, 잠깐 동안
1027	④	一切	yíqiè	한 일 | 온통 체	대 일체, 모든
1028	②	一下	yíxià	하나 일 | 아래 하	양 한번 ~좀 해보다, 잠시, 잠깐 N

No.	级	단어	병음	한자 훈음	뜻	
1029	3	一样	yíyàng	한 일 | 모양 양	형 같다	
1030	3	一般	yìbān	한 일 | 옮길, 일반 반	형 보통이다, 일반적이다 부 일반적으로, 보통	
1031	3	一边	yìbiān	한 일 | 가 변	부 ~하면서, 한편으로 ~하다	
1032	1	一点儿	yìdiǎnr	하나 일 | 점 점 | 아이 아	양 조금, 약간	N
1033	2	一起	yìqǐ	한 일 | 일어설 기	부 같이, 함께	
1034	3	一直	yìzhí	한 일 | 곧을 직	부 계속, 줄곧	
1035	4	以	yǐ	써, 거느릴 이	전 ~로써, ~으로	
1036	2	已经	yǐjing	이미 이 | 지날 경	부 이미, 벌써	
1037	3	以前	yǐqián	써, 거느릴 이 | 앞 전	명 이전, 예전	
1038	4	以为	yǐwéi	써, 거느릴 이 | 행할 위	동 여기다, 간주하다	L3
1039	1	椅子	yǐzi	의자 의 | 접미사 자	명 의자	
1040	4	意见	yìjiàn	뜻 의 | 볼 견	명 견해, 의견	
1041	4	艺术	yìshù	재주 예 | 재주 술	명 예술	
1042	2	意思	yìsi	뜻 의 | 생각 사	명 의미, 뜻, 재미	
1043	2	阴	yīn	그늘 음	형 흐리다	
1044	4	因此	yīncǐ	인할 인 | 이 차	접 이로 인하여, 그래서, 그러므로	
1045	2	因为…所以… yīnwèi… suǒyǐ…		인할 인 | 행할 위 | 바 소 | 써 이	접 왜냐하면~ 그래서~	C
1046	3	音乐	yīnyuè	소리 음 | 즐거울 락, 풍류 악	명 음악	
1047	3	银行	yínháng	은 은 | 행할, 상점 행	명 은행	
1048	3	饮料	yǐnliào	마실 음 | 재료 료	명 음료	L4
1049	4	引起	yǐnqǐ	당길 인 | 일어설 기	동 일으키다, 야기하다	
1050	4	印象	yìnxiàng	도장, 묻어날 인 | 형태 상	명 인상	
1051	3	应该	yīnggāi	응당 응 | 갖출 해	조동 마땅히 ~해야 한다	
1052	4	赢	yíng	이길 영	동 이기다, 승리하다	

1053	③ 影响	yǐngxiǎng	그림자 영 | 울릴 향	명 영향　동 영향을 미치다
1054	④ 应聘	yìngpìn	응할 응 | 모실 빙	동 초빙에 응하다, 지원하다 **L5**
1055	④ 永远	yǒngyuǎn	길 영 | 멀 원	부 영원히
1056	④ 勇敢	yǒnggǎn	과감할 용 | 감히 감	형 용감하다
1057	③ 用	yòng	쓸 용	동 쓰다, 사용하다
1058	④ 优点	yōudiǎn	뛰어날 우 | 점 점	명 장점
1059	④ 幽默	yōumò	그윽할 유 | 잠잠할 묵	형 유머러스하다
1060	④ 优秀	yōuxiù	뛰어날 우 | 빼어날 수	형 우수하다
1061	④ 由	yóu	말미암을 유	전 ~로부터
1062	④ 邮局	yóujú	우편 우 | 판국, 제한할 국	명 우체국　**L5**
1063	④ 尤其	yóuqí	더욱 우 | 어조사 기	부 더욱이, 특히
1064	③ 游戏	yóuxì	노닐 유 | 희롱할 희	명 게임, 놀이
1065	② 游泳	yóuyǒng	헤엄칠 유 | 헤엄 영	동 수영하다, 헤엄치다
1066	④ 由于	yóuyú	말미암을 유 | 어조사 우	접 ~때문에(=从), ~가(동작 주체 강조)
1067	① 有	yǒu	있을 유	동 있다
1068	④ 友好	yǒuhǎo	벗 우 | 좋을 호	형 우호적이다
1069	③ 有名	yǒumíng	있을 유 | 이름 명	형 유명하다
1070	④ 有趣	yǒuqù	있을 유 | 뜻 취	형 재미있다
1071	④ 友谊	yǒuyì	벗 우 | 옳을 의	명 우의, 우정
1072	③ 又	yòu	또 우	부 또, 다시
1073	② 右边	yòubian	오른쪽 우 | 가 변	명 오른쪽
1074	② 鱼	yú	물고기 어	명 물고기
1075	④ 于是	yúshì	어조사 우 | 옳을 시	접 그래서, 그리하여
1076	③ 愉快	yúkuài	기뻐할 유 | 상쾌할 쾌	형 기쁘다, 유쾌하다
1077	④ 与	yǔ	더불어 여	접 ~와(과)

No.	급수	단어	병음	훈음	뜻
1078	④	语法	yǔfǎ	말할 어 | 법 법	몡 어법
1079	④	羽毛球	yǔmáoqiú	깃 우 | 털 모 | 공 구	몡 배드민턴
1080	④	语言	yǔyán	말할 어 | 말씀 언	몡 언어
1081	③	遇到	yùdào	만날 우 | 이를 도	동 (우연히) 만나다, 마주치다
1082	④	预习	yùxí	미리 예 | 배울 습	동 예습하다
1083	③	元	yuán	으뜸 원	양 위안[중국 화폐 단위] **L2**
1084	④	原来	yuánlái	근원 원 | 올 래	부 원래, 본래, 알고 보니
1085	④	原谅	yuánliàng	근원 원 | 어질, 믿을 량	동 양해하다, 용서하다
1086	④	原因	yuányīn	근원 원 | 인할 인	몡 원인
1087	②	远	yuǎn	멀 원	형 멀다
1088	③	愿意	yuànyì	바랄 원 | 뜻 의	동 원하다
1089	④	约会	yuēhuì	약속 약 | 모일 회	동 약속하다 몡 약속
1090	①	月	yuè	달 월	몡 달, 월
1091	③	越	yuè	넘을 월	부 점점, 더욱더, ~하면 할수록
1092	③	月亮	yuèliang	달 월 | 밝을 량	몡 달
1093	④	阅读	yuèdú	읽을 열 | 읽을 독	동 열독하다, 독해하다
1094	④	云	yún	구름 운	몡 구름 **L3**
1095	④	允许	yǔnxǔ	승낙할 윤 | 허락할 허	동 허가하다, 허락하다
1096	②	运动	yùndòng	옮길 운 | 움직일 동	몡 운동 동 운동하다

Z

No.	급수	단어	병음	훈음	뜻
1097	④	杂志	zázhì	섞일 잡 | 뜻 지	몡 잡지
1098	①	在	zài	있을 재	동 ~에 있다
1099	②	再	zài	거듭 재	부 재차, 또, 다시
1100	①	再见	zàijiàn	거듭 재 | 볼 견	동 또 뵙겠습니다, 안녕

번호	급수	한자	병음	훈음	뜻
1101	4	咱们	zánmen	나 찰 | 들 문	대 우리
1102	4	暂时	zànshí	잠깐 잠 | 때 시	명 잠깐, 잠시
1103	4	脏	zāng	더러울 장	형 더럽다
1104	2	早上	zǎoshang	새벽 조 | 위 상	명 아침
1105	4	责任	zérèn	꾸짖을 책 | 맡길 임	명 책임
1106	1	怎么	zěnme	어찌 즘 | 그런가 마	대 어떻게, 왜, 어째서
1107	1	怎么样	zěnmeyàng	어찌 즘 | 그런가 마 | 모양 양	대 어떻다, 어떠하다
1108	4	增加	zēngjiā	더할 증 | 더할 가	동 증가하다, 늘리다
1109	3	站	zhàn	설, 역마을 참	동 서다 명 역, 정거장
1110	4	占线	zhànxiàn	차지할 점 | 줄, 실 선	동 (전화가) 통화 중이다 **L5**
1111	3	张	zhāng	넓을 장	양 장(종이, 책상, 침대 등 얇고, 평평한 것을 세는 단위) **L2**
1112	3	长	zhǎng	자랄 장	동 자라다, 생기다, 성장하다
1113	2	丈夫	zhàngfu	어른 장 | 지아비 부	명 남편
1114	4	招聘	zhāopìn	부를 초 | 부를, 찾을 빙	동 모집하다, 초빙하다
1115	3	着急	zháojí	더할 착 | 급할 급	동 조급해하다
1116	2	找	zhǎo	찾을 조	동 찾다
1117	4	照	zhào	비출 조	동 비추다, 비치다, (사진·영화를) 찍다 **N**
1118	3	照顾	zhàogù	비출 조 | 돌아볼 고	동 돌보다
1119	3	照片	zhàopiàn	비출 조 | 조각 편	명 사진
1120	3	照相机	zhàoxiàngjī	비출 조 | 서로 상 | 기계 기	명 사진기, 카메라
1121	1	这	zhè	이 저	대 이, 이것 **C**
1122	2	着	zhe	어조사 착	조 ~하고 있다(동작이나 상태의 진행, 지속을 나타냄)
1123	2	真	zhēn	참 진	부 정말로, 진짜로

번호	급수	단어	병음	훈음	품사·뜻
1124	4	真正	zhēnzhèng	참 진 | 바를 정	형 진정한, 참된
1125	4	整理	zhěnglǐ	가지런할 정 | 다스릴 리	동 정리하다
1126	4	正常	zhèngcháng	바를 정 | 항상 상	형 정상적인, 정상적이다
1127	4	正好	zhènghǎo	바를 정 | 좋을 호	형 딱맞다, 꼭 맞다 부 마침, 때마침
1128	4	证明	zhèngmíng	증명할 증 | 밝을 명	동 증명하다
1129	4	正确	zhèngquè	바를 정 | 정확할 확	형 정확하다, 올바르다
1130	4	正式	zhèngshì	바를 정 | 법 식	형 정식의
1131	2	正在	zhèngzài	바를 정 | 있을 재	부 지금 ~하고 있다
1132	3	只	zhī	다만 척	양 마리 **L4**
1133	4	之	zhī	어조사 지	대 이, 그 조 ~의
1134	4	支持	zhīchí	지탱할, 가지 지	동 지지하다
1135	2	知道	zhīdao	알 지 | 길 도	동 알다
1136	4	知识	zhīshi	알 지 | 알 식	명 지식
1137	4	直接	zhíjiē	곧을 직 | 이을, 가까이할 접	형 직접적인
1138	4	值得	zhídé	값 치 | 얻을 득	동 ~할 만한 가치가 있다
1139	4	职业	zhíyè	직분 직 | 업 업	명 직업
1140	4	植物	zhíwù	심을 식 | 물건 물	명 식물
1141	3	只	zhǐ	다만 척	부 단지, 다만
1142	4	指	zhǐ	가리킬 지	동 가리키다, 지적하다
1143	4	只好	zhǐhǎo	다만 지 | 좋을 호	부 부득이
1144	4	只要	zhǐyào	다만 지 | 구할 요	접 ~하기만 하면
1145	3	只有… 才… zhǐyǒu… cái…		다만 지 | 있을 유 | 재주 재	접 단지 ~해야만 ~이다, 비로서 ~하다 **C**
1146	4	至少	zhìshǎo	이를 지 | 적을 소	부 적어도, 최소한
1147	4	质量	zhìliàng	바탕 질 | 헤아릴 량	명 품질

번호	급수	단어	병음	훈음	품사·뜻
1148	1	中国	Zhōngguó	가운데 중 | 나라 국	고유 중국
1149	3	中间	zhōngjiān	가운데 중 | 사이 간	명 중간, 가운데, 사이
1150	3	中文	Zhōngwén	가운데 중 | 글월 문	명 중국어(언어와 문자) L4
1151	1	中午	zhōngwǔ	가운데 중 | 낮 오	명 정오, 낮, 대낮
1152	3	终于	zhōngyú	끝 종 | 어조사 우	부 마침내, 결국
1153	3	种	zhǒng	씨 종	명 종류
1154	4	重	zhòng	무거울 중	형 무겁다 L5
1155	4	重点	zhòngdiǎn	무거울 중 | 점 점	명 중점, 핵심
1156	4	重视	zhòngshì	무거울 중 | 볼 시	동 중시하다
1157	3	重要	zhòngyào	무거울 중 | 요긴할 요	형 중요하다
1158	3	周末	zhōumò	두루 주 | 끝 말	명 주말
1159	4	周围	zhōuwéi	두루 주 | 에워쌀 위	명 주위, 주변
1160	3	主要	zhǔyào	주인, 주장할 주 | 구할 요	형 주요한, 주된
1161	4	主意	zhǔyi	주인, 주장할 주 | 뜻 의	명 방법, 생각
1162	1	住	zhù	머무를 주	동 숙박하다, 살다, 거주하다
1163	4	祝贺	zhùhè	빌 축 | 축하할 하	동 축하하다
1164	4	著名	zhùmíng	나타날 저 | 이름 명	형 저명하다, 유명하다
1165	3	注意	zhùyì	물댈 주 | 뜻 의	동 주의하다, 조심하다
1166	4	专门	zhuānmén	오로지 전 | 문 문	형 전문적이다 / 부 일부러, 특별히
1167	4	专业	zhuānyè	오로지 전 | 업 업	명 전공, 전문
1168	4	转	zhuǎn	바꿀 전	동 (방향·위치·상황 등이) 바뀌다, 바꾸다, 돌다 N
1169	4	赚	zhuàn	돈벌 잠	동 돈을 벌다
1170	2	准备	zhǔnbèi	의거할 준 | 갖출, 예비 비	동 준비하다
1171	4	准确	zhǔnquè	의거할 준 | 정확할 확	형 확실하다, 정확하다

번호	급수	한자	병음	훈음	뜻
1172	4	准时	zhǔnshí	의거할 준 | 때 시	부 정시에 동 시간을 잘 지키다
1173	1	桌子	zhuōzi	탁자 탁 | 접미사 자	명 탁자, 테이블
1174	4	仔细	zǐxì	자세할 자 | 자세할 세	형 세심하다, 꼼꼼하다, 자세하다
1175	1	字	zì	글자 자	명 문자, 글자
1176	3	自己	zìjǐ	스스로 자 | 자기 기	대 자기, 자신
1177	4	自然	zìrán	스스로 자 | 그러할 연	부 자연스럽게 형 자연스럽다
1178	4	自信	zìxìn	스스로 자 | 믿을 신	동 자신감 있다, 자신만만하다 L5
1179	3	自行车	zìxíngchē	스스로 자 | 갈 행 | 수레 거	명 자전거 L2
1180	4	总结	zǒngjié	합칠 총 | 맺을 결	동 총괄하다, 총정리하다
1181	3	总是	zǒngshì	합칠 총 | 옳을 시	부 늘, 언제나, 항상
1182	2	走	zǒu	달릴 주	동 걷다, 떠나다
1183	4	租	zū	세낼 조	동 세내다, 임차하다
1184	3	嘴	zuǐ	부리 취	명 입 L4
1185	2	最	zuì	가장 최	부 가장, 제일, 아주, 매우
1186	4	最好	zuìhǎo	가장 최 | 좋을 호	형 가장 좋다 부 제일 좋기로는
1187	3	最后	zuìhòu	가장 최 | 뒤 후	명 최후, 맨 마지막 L4
1188	3	最近	zuìjìn	가장 최 | 가까울 근	명 최근, 요즈음
1189	4	尊重	zūnzhòng	존경할 존 | 무거울 중	동 존중하다
1190	1	昨天	zuótiān	어제 작 | 하늘 천	명 어제
1191	2	左边	zuǒbian	왼편 좌 | 가 변	명 왼쪽, 왼편
1192	4	左右	zuǒyòu	왼편 좌 | 오른편 우	명 가량, 안팎, 정도 L6
1193	1	做	zuò	지을 주	동 하다
1194	1	坐	zuò	앉을 좌	동 앉다
1195	4	座	zuò	자리 좌	명 좌석, 자리 양 동, 채(크고 고정된 사물을 세는 단위)

1196	④ 作家	zuòjiā	만들 작 | 가구, 집 가	몡 작가	N
1197	④ 座位	zuòwèi	자리 좌 | 자리 위	몡 좌석	
1198	③ 作业	zuòyè	지을 작 | 업 업	몡 숙제, 과제	
1199	④ 作用	zuòyòng	지을 작 | 쓸 용	몡 작용, 역할	L3
1200	④ 作者	zuòzhě	지을 작 | 놈 자	몡 저자, 필자	

MEMO